Das Buch

Energiekrise, Rohstoffkrise, Nahrungsmittelkrise – die erste Hälfte der siebziger Jahre ist gekennzeichnet durch eine historische Zäsur, deren Tragweite uns erst langsam bewußt wird. Der jahrhundertealte, selbstverständliche Fortschrittsglaube des europäischen Menschen hat sich ad absurdum geführt; jetzt geht es um ein menschenwürdiges Überleben – das »nicht nur einen bislang unvorstellbaren Lastenausgleich zwischen Nord und Süd, sondern eine Umstellung in nahezu allen Sparten unserer Politik« verlangt. Denn auch innerhalb der Industrieländer sind wir inzwischen nur zu deutlich an Grenzen gestoßen: Grenzen der Konjunktursteuerung etwa oder der Handlungsfähigkeit der Regierungen. Von Resignation wie Revolution gleich weit entfernt und mit dem ganzen Gewicht seiner langjährigen politischen Erfahrung plädiert Erhard Eppler dafür, daß wir es endlich nüchtern und verantwortungsbewußt mit den Problemen unserer Welt aufnehmen; unser Verhältnis zu den Ländern des Südens erläutert er dabei ebenso kenntnisreich wie die Haushalts- und Strukturpolitik oder Fragen der Gesundheit und Bildung. Leitlinie aller politischen Entscheidungen sollten Epplers Meinung nach jene sittlichen Werte sein, welche die abendländische Tradition hervorgebracht hat. Ein solcher »Wertkonservatismus« muß notwendigerweise mit einem »Strukturkonservatismus« kollidieren, dem es vor allem um die Bewahrung von Machtpositionen geht; aber nur in einem progressiven Wertkonservatismus liegen unsere Chancen für eine humane, konstruktive, das Notwendige nicht aus den Augen verlierende Politik. – Das Buch wurde vom Autor für die Taschenbuchausgabe aktualisiert.

Der Autor

Erhard Eppler, geb. 1926, Dr. phil., Bundesminister für wirtschaftliche Zusammenarbeit von 1968 bis 1974, Mitglied der Synode der Evangelischen .... Deutschland, veröffentlichte u. a.: ›Wenig.. Maßstäbe für eine humane G.. :bensqualität‹ (1974).

Erhard Eppler:
Ende oder Wende
Von der Machbarkeit des Notwendigen

9. März 81

lieber Christoph,

zum Geburtstag was zum
Nachdenken! Von

Andrea + Gérard

Deutscher
Taschenbuch
Verlag

Vom Autor für die Taschenbuchausgabe
überarbeitete Fassung
1. Auflage November 1976
4. Auflage Februar 1981: 32. bis 37. Tausend
Deutscher Taschenbuch Verlag GmbH & Co. KG,
München
© 1975 Verlag W. Kohlhammer GmbH
Stuttgart · Berlin · Köln · Mainz
ISBN 3–17–002768–9
Umschlaggestaltung: Celestino Piatti
Umschlagfotos: foto-present, Essen
Gesamtherstellung: C. H. Beck'sche Buchdruckerei,
Nördlingen
Printed in Germany · ISBN 3–423–01221–8

Inhalt

Dieses Buch will in Lücken treten, auch wenn es sie nicht füllen kann.

Es sind die erschreckenden Lücken

– zwischen dem alltäglichen Geschäft des Politikers und den Analysen, Prognosen und Forderungen der Wissenschaft;
– zwischen sträflich leichtsinnigem Optimismus und lähmendem oder gar selbstgefälligem Pessimismus;
– zwischen verzweifeltem Zynismus und sittlichem Protest;
– zwischen prinzipiellem Pragmatismus und abstrakter Systemdiskussion;
– zwischen Revolution und Resignation;
– zwischen einem Denken, das nur die nächste Landtagswahl und einem, das erst die Achtziger- oder Neunzigerjahre im Auge hat;
– zwischen dem Notwendigen und dem Machbaren.

Dabei fließen Erfahrungen von vierzehn Jahren parlamentarischer und beinahe sechs Jahren administrativer Tätigkeit ebenso ein wie das – sicher unzureichende – Bemühen, den Kontakt zur wissenschaftlichen Diskussion zu halten.

Es ist kein geringes Unterfangen, in solche Lücken zu treten und zu fragen, was vom offenkundig Notwendigen machbar gemacht werden muß. Daß damit mehr als ein Wagnis verbunden ist, weiß der Autor sehr wohl. Aber wenn wir menschenwürdig überleben wollen, werden wir noch ganz anderes wagen müssen.

Wer dieses Buch – genau wie der Autor – in vieler Hinsicht unvollkommen findet, ist aufgefordert, mehr und Besseres zur Schließung der Lücken zu tun, aus denen uns und unseren Kindern Gefahr droht.

Frühjahr 1975   Erhard Eppler

Das Bewußtsein, daß wir eine historische Zäsur durchleben, setzt sich rascher durch, als zu erwarten war.

Wer über diese Zäsur zu schreiben wagt, kann nicht mehr liefern als eine Momentaufnahme in einem Prozeß des Lernens, Verstehens, Folgerns und Entscheidens.

Das vorliegende Buch ist um die Jahreswende 1974/1975 entstanden. Was sechs Monate bedeuten können, wird beim Wiederlesen klar: Manches, was zu Beginn dieses Jahres formuliert wurde über Rohstoffe, Konjunktur, Haushalte, Gesundheit oder Bildung, klingt schon heute wesentlich weniger befremdlich als damals. In manchen Bereichen sind dem Autor inzwischen Einsichten zugewachsen, die über das damals Gesagte hinausgehen.

Trotzdem wäre es falsch, dieses Buch jetzt schon umzuschreiben, nachdem die Diskussion darüber – reger und breiter als erwartet – gerade erst in Gang gekommen ist.

Daher soll hier auf sachliche Korrektur verzichtet werden. Nur an zwei Stellen, besonders im Schlußkapitel, sind Abschnitte zur Verdeutlichung eingefügt.

Juli 1975   Erhard Eppler

Eineinhalb Jahre nach Erscheinen dieses Buches besorgt nun der Deutsche Taschenbuchverlag eine Ausgabe, die auch solchen Lesern zugänglich ist, die auf teure Bücher verzichten müssen.

Für mich war dies Anlaß zu kritischer Überprüfung. Dabei stellte ich verwundert fest, wieviel ich seit dem Beginn des Jahres 1975 dazuzulernen hatte, von Freunden und Kritikern, aus anderen Publikationen, vor allem aber aus den immer neuen Aufgaben, die dem politisch Handelnden Antworten abverlangen. Manches war zu erläutern, zu präzisieren, gegen Mißverständnisse abzusichern; manches ist nun schärfer akzentuiert, einige Kapitel sind ergänzt, neue Anregungen sind eingefügt, etwa wo es um den Grundwert der Solidarität geht oder um die Gefahr struktureller Arbeitslosigkeit.

Trotzdem: Ansatz und Richtung des Buchs sind geblieben. Gerade nach einem Bundestagswahlkampf, der fast alles säuberlich auszuklammern versuchte, womit wir es in den nächsten Jahren zu tun bekommen dürften, könnte dieses Buch einen Dienst leisten. Es gibt kein Vakuum in der öffentlichen Diskussion. Wo wir vor dem kneifen, was die Zukunft uns abfordert, müssen wir uns mit den Gespenstern der Vergangenheit herumschlagen. Wenn wir nicht über mittelfristige Krisenbewältigung in den späten siebziger Jahren nachdenken wollen, müssen wir die Parolen und Gegenparolen der fünfziger Jahre wiederkauen.

Wen bei alledem das Gefühl beschlich, wir könnten so unsere Zukunft verspielen, ist auf die Lektüre dieses Buches eingestimmt. Niemand wird es aus der Hand legen in der Überzeugung, nun wisse er, was er wissen sollte. Aber vielleicht werden einige nach der Lektüre die Bretter leichter erkennen, an denen weiterzubohren sich lohnt.

August 1976   Erhard Eppler

1. Kapitel:
Die Zäsur

I

In die erste Hälfte der siebziger Jahre fällt eine historische Zäsur, deren Tiefe erst in einigem Abstand sichtbar werden wird: Die Menschheit ist auf Grenzen gestoßen, von denen sie zumindest in den zwei Jahrhunderten zuvor nichts wußte oder wissen wollte. Es war das Pathos der europäischen Geschichte, zumindest seit Beginn der industriellen Revolution, wenn nicht schon seit der Renaissance, die Überwindbarkeit von Grenzen immer neu zu demonstrieren: Grenzen des Wissens und Erkennens, Grenzen der Leistung, Grenzen der Geschwindigkeit, Grenzen der Produktivität und der Produktion, Grenzen des Raumes, schließlich Grenzen des Erdballs selbst. Auch im Pathos des wirtschaftlichen Wachstums schwang und schwingt noch mit, was die Geschichte Europas seit Jahrhunderten bestimmt hat. Daß es sich hier nicht allein um einen Systemzwang des Privatkapitalismus handelt, beweisen die kommunistischen Staaten, die – abgesehen von China – ihren Erfolg ebenso an Wachstumszahlen messen wie die Länder der OECD.

Daß Menschen den Erdball verlassen und auf dem Mond landen können, wohl die spektakulärste aller Grenzüberwindungen, hat die Menschheit keineswegs beflügelt, sondern auf sich zurückgeworfen: im Weltall war nichts zu gewinnen außer der Einsicht, daß wir auf einen Erdball verwiesen sind, der in seiner Schönheit und Fülle seinesgleichen sucht, von dem es aber auch kein Entrinnen gibt. Der Mensch mußte über den Erdball hinausgreifen, um ihn – von außen – als seine Grenze zu begreifen. Die faszinierenden Fotos vom Raumschiff Erde forderten die Fragestellung des Klubs von Rom heraus: Was hält diese unsere Erde aus? Wieviele Menschen kann sie tragen, versorgen mit Rohstoffen, Energie, Wasser, Nahrung, Raum zur Entfaltung?

Daß ein endlicher Erdball kein unendliches materielles Wachstum zuläßt, ist eine Binsenweisheit. Daß diese Binsenweisheit erst zur Kenntnis genommen wurde, als Computer sie errechnet hatten, ist eine Parodie auf die Expertengläubigkeit unserer Zeit.

Man sollte es den Politikern nicht verübeln, wenn sie mit dem ersten Bericht des Klubs von Rom (Meadows-Studie) wenig anfangen konnten, sogar dann, wenn sie ihn nicht als Hirngespinst wildgewordener Futurologen abtaten. Von der – überdies umstrittenen – Globalrechnung, wonach die Fortschreibung von Wachstumsraten gegen die Mitte des kommenden Jahrhunderts zur Katastrophe führen müsse, bis zu einer verantwortbaren politischen Entscheidung hier und heute ist ein zu weiter Weg.

Die zweite Studie des Klubs von Rom (Mesarović-Pestel)[1] hat ein gutes Stück auf diesem Weg zurückgelegt: Berechnungen für die einzelnen Regionen der Erde (insgesamt zehn) führen schon näher an den Bereich heran, der politische Umsetzung erlaubt, und die Alternativrechnungen (Szenarios) weisen auf Entscheidungsspielräume hin, die genutzt werden können. Mit der Warnung vor dem großen Zusammenbruch ist politisch weniger zu bewirken als mit der Darstellung von zahlreichen Einzelkrisen und ihren – denkbaren oder vermeidbaren – Verknüpfungen. Daß dies Mesarović und Pestel in allen Bereichen schon überzeugend gelungen sei, werden allerdings die Autoren selbst nicht behaupten.

Dabei sind die Berechnungen des zweiten Berichts keineswegs optimistischer als die des ersten. Dies gilt nicht nur für die Bereiche Rohstoffe, Energieträger, Wasserversorgung oder Umweltschutz. Die erregendsten Berechnungen haben die Autoren über das Verhältnis von Bevölkerungsvermehrung und Lebenschancen angestellt. Sie gehen – wie andere auch – davon aus, daß die Menschheit, auch wenn sie einmal ein Gleichgewicht in der Fruchtbarkeitsrate erreicht haben sollte, noch weiterwächst. Den Bremsweg veranschlagen sie mit 40 Jahren. Sogar wenn es gelänge, im Süden der Erde die Fruchtbarkeitsrate Null (praktisch die Zweikinderfamilie) in 35 Jahren zu erreichen, so wäre das Ende der Explosion erst in 75 Jahren, also um 2050, zu erwarten, und auch dies nur, wenn man schon heute mit aktiver Bevölkerungspolitik beginnt. Verschiebt man den Start um zehn Jahre, so tritt das Gleichgewicht im Süden erst bei acht Milliarden, verschiebt man um 20 Jahre, erst bei zehn Milliarden ein. Zu deutsch: Lassen wir die nächsten zehn Jahre verstreichen, so bedeutet dies zusätzlich zum ohnehin unausweichlichen Bevölkerungswachstum 1,7 Milliarden Menschen mehr, also soviele, wie nach dem Ersten Weltkrieg auf dieser Erde lebten. Verschlafen wir 20 Jahre, so bedeutet dies vier Milliarden Menschen zusätzlich, also mehr Menschen zusätzlich, als heute leben.

Makaber ist eine andere Berechnung: Die Verschiebung einer »drastischen Bevölkerungspolitik« in Südasien von 1990 auf 1995 würde – da die Lebensgrundlagen fehlen – den Tod von 170 Millionen Kindern bewirken. Zehn Tage Verzug würden also den Tod von einer Million Kinder verursachen, jede Sekunde Säumen ein verendetes Kind, und zwar nicht irgendwann, sondern bis die heute Geborenen 50 Jahre alt sind. Hier hört das Rechnen auf, hier beginnt die Apokalypse.

Ein schwer verzeihlicher Mangel in diesen Berechnungen liegt darin, daß hier völlig isoliert von Bevölkerungspolitik die Rede ist. Indien betreibt seit eineinhalb Jahrzehnten Familienplanung – ohne greifbaren Erfolg, weil man arbeitslosen oder unterbeschäftigten Analphabeten ohne ausreichende Ernährung und ohne soziale Sicherung nicht mit Familienplanung kommen kann. Hunderte von Millionen Eltern in Entwicklungsländern haben keine Chance, die Zahl ihrer Kinder selbst zu bestimmen. Neue Untersuchungen und Rechnungen müßten hier ansetzen: Wie können Arbeitsbeschaffung, Alphabetisierung, Gesundheitsdienst, Alterssicherung die Geburtenrate verringern, wie kann eine niedrigere Geburtenrate die Befriedigung der Grundbedürfnisse erleichtern? Wo ist der Teufelskreis von Elend und Bevölkerungsexplosion aufzubrechen? Jedenfalls: Eine Fertilitätsrate Null in 35 Jahren ist nicht allein durch Familienplanung, sondern nur durch ungeheure Anstrengung auf allen Gebieten zu erreichen. Es ist auch aussichtslos, eine Senkung der Geburtenrate allein von einem höheren Pro-Kopf-Einkommen zu erwarten. Dieser Weg würde wesentlich mehr Zeit in Anspruch nehmen als zur Verfügung steht. Eine Senkung der Geburtenrate muß möglich sein, ehe diese Länder das Pro-Kopf-Einkommen Westeuropas in den zwanziger Jahren erreicht haben. Die Senkung findet aber nicht statt, solange elementare Grundbedürfnisse nicht befriedigt sind.

Ob dies die astronomischen Summen erfordern wird, die Mesarović und Pestel errechnet haben, mag man füglich bestreiten. Unbestreitbar ist, daß das Aufbrechen des Elendszirkels uns um so teurer zu stehen kommt, je später wir es versuchen. Es ist durchaus eine Situation abzusehen, wo es dazu keine Chance mehr gibt. Jedenfalls: Um die Zahlenspielereien, daß die Erde ja auch 50 oder 60 Milliarden Menschen »ernähren« könne, wird es endgültig still werden.

Ein Kind, 1975 geboren, wird, wenn es volljährig wird, die Güter der Erde mit knapp sechs Milliarden Menschen teilen. Wenn es dreißig Jahre alt ist, dürften es ungefähr sieben Milliarden sein. Davon ließen sich auch dann nur wenige hundert Millionen abhandeln, wenn Industrie- und Entwicklungsländer in den nächsten Jahren zur Eindämmung der Bevölkerungsexplosion das Zehnfache dessen unternähmen, wozu sie sich heute aufraffen können. Aber politisch wird entschieden werden, ob diese Kinder, vierzigjährig, mit acht, neun oder elf Milliarden und ob sie, fünfundsechzigjährig, mit zehn, vierzehn oder sechzehn Milliarden Menschen die Ressourcen der Erde werden teilen müssen. Wer heute Kinder in die Welt setzt, kann sich vor der Frage nicht drücken: Wie können in zehn Jahren fünf Milliarden, in zwanzig Jahren sechs Milliarden so leben, daß wenigstens dann die Eltern der folgenden Generation eine Chance haben, die Zahl ihrer Kinder zu bestimmen?

II

Bis 1973 hat die Menschheit mit ihren Hilfsquellen gewirtschaftet, als seien sie unbegrenzt. Und dafür sprach auch manches: Rohstoffknappheit war bislang immer durch Erschließung neuer Ressourcen aufgefangen und überspielt worden. Letztlich schien sich alles wieder einzuspielen. Mit dieser Illusion haben die Computer des MIT aufgeräumt, auch wenn es nicht schwierig ist, die Berichte des Klubs von Rom auf hohle Stellen abzuklopfen. Wichtiger als alle – sicher fragwürdigen – Einzelberechnungen ist die Einsicht, daß wir, sobald wir zur Überwindung einer Grenze ansetzen, auf eine andere stoßen. Wahrscheinlich ließen sich zehn oder fünfzehn Milliarden Menschen ernähren, wenn Wüsten bewässert werden könnten. Die Wüsten werden aber nicht bewässert, sie werden nicht kleiner, sie wachsen rapide, weil Übervölkerung, Überweidung, Zerstörung des Baumbestandes zusammen mit Dürreperioden das ökologische Gleichgewicht am Rande der Wüsten (keineswegs nur der Sahara) auf Jahrzehnte irreparabel zerstört haben und weil Bewässerung von Wüsten riesige Mengen billiger Energie voraussetzt, etwa zur Entsalzung von Meerwasser. Tatsache ist, daß in vielen Ländern das Öl für die primitivsten Wasserpumpen zu teuer wird. Wer in diesem Zusammenhang seine Hoffnung allzu naiv auf Kernenergie setzt, sollte die Zahlen von Alvin Weinberg überdenken.

Danach verlangt die Versorgung von 15 Milliarden Menschen mit durchschnittlich 20 kWh durch Kernspaltung 24000 Reaktoren, 150000 t Plutoniuminventar, 15000 t Plutonium Jahresproduktion, 480 Reaktoren Ersatzbedarf, 210000 Transporte pro Jahr, davon 26000 ständig unterwegs.[2] Wie man dann noch so etwas wie Sicherheit vor atomarem Terrorismus erreichen will, ist mehr als unklar. Dabei zeichnet sich schon für die nächsten Jahre eine rasche Verteuerung des Urans ab.

Knapp und teuer werden auch die Stickstoffdünger, die auf Ölbasis hergestellt werden. Phosphate, deren Preis seit 1972 von 11,7 Dollar auf 48,5 Dollar pro Tonne 1976 gestiegen ist, dürften bei ständig wachsendem Bedarf allenfalls noch wenige Jahrzehnte ausreichen. Was aus den Gewässern der Erde werden müßte, wenn alle Böden so massiv mit Kunstdünger versorgt würden wie die in den USA, ist offen. Wahrscheinlich ist, daß das rasche Wachstum der Algen den Gewässern soviel Sauerstoff entziehen dürfte, daß sie »umkippen«. Auch die künstliche Düngung stößt an mehr als eine Grenze.

Der Fischfang – eine der wichtigsten Eiweißquellen –, der von 1950 bis 1970 von 21 auf 70 Millionen Tonnen anstieg, nimmt seit Anfang der siebziger Jahre stetig ab, weil die verschmutzten Meere auf eine unvernünftige Weise geplündert werden. Verdoppelung der Bevölkerungszahl bedeutet mehr Flächenbedarf für Industrie, Verkehr und Wohngebiete, Verringerung des landwirtschaftlich nutzbaren Bodens. Das mögen einige Länder Afrikas und Lateinamerikas eben noch verkraften, für Süd- und Ostasien schlägt es zu Buche.

Je mehr hungrige Menschen, desto größer die Umweltzerstörung. Je mehr Umweltzerstörung, desto mehr hungrige Menschen. Übervölkerung oder kommerzielle Interessen führen zu rücksichtsloser Abholzung von Wäldern, dies wiederum zu rapide wachsender Bodenerosion, manchmal durch Wind, wie im Falle des indischen Staates Rajasthan, dessen Ackerboden sich als Staub auf den Diplomatenwagen in New Delhi niederschlägt, oder – häufiger – durch Wasser, wofür die immer verheerenderen Flutkatastrophen auf dem übrigen indischen Subkontinent zeugen.

Von Jahresende 1971 bis Juli 1975 stieg der Weltmarktpreis für amerikanischen Weizen von 58,5 auf 134,8 Dollar pro Tonne. Jedes Jahr werden wir damit vertröstet, die hohen Getreidepreise hätten eine ganz spezielle Ursache: Mißernten in Indien, Rußland oder im Mittleren Westen der USA.[3] Nach Berechnungen der FAO dürfte jedoch am Ende des Jahrzehnts der Bedarf an Nahrungsmitteln in Entwicklungsländern um 72 Prozent über dem der Jahre 1969 bis 1971 liegen, die Produktion nur um 46 Prozent. Wer die Lücke (73 Millionen Tonnen) schließen soll, weiß niemand. Und es gibt zahlreiche Experten, die auch diese Berechnungen noch für allzu optimistisch halten.

Es ist richtig, daß die Berichte des Klubs von Rom manche Faktoren außer acht lassen, die das Bild verändern könnten. Aber würde das Bild dadurch freundlicher?

Sicher: Es fehlt z. B. der Aspekt der Macht. Die Verfasser der Cocoyoc-Erklärung haben recht, wenn sie gegen den Klub von Rom einwenden, hier und heute gebe es im Weltmaßstab noch keine akute Knappheit, wohl aber eine unerträgliche Willkür in der Verteilung der Ressourcen. Nur: Wo ist die Macht, die eine vernünftigere erzwingen könnte? Die Bildung eines neuen Machtzentrums in den OPEC-Staaten hat eine gerechtere Verteilung nicht leichter, sondern komplizierter gemacht. Wo die Interessen von Industriestaaten sich mit denen der Ölstaaten verbinden, entsteht eine ökonomische Macht, gegenüber der Entwicklungsländer in die hoffnungslose Position mehr oder minder erfolgreicher Bettler gedrängt werden könnten.

Sicher: Feudale und halbfeudale Gesellschaftsstrukturen, mit Gewalt aufrechterhalten, versperren in vielen Ländern den Ausweg aus Hunger und Analphabetismus. Aber es gilt eben auch das Umgekehrte: Von arbeitslosen Analphabeten, denen Proteinmangel in den ersten Lebensjahren die volle Entfaltung ihrer geistigen und körperlichen Fähigkeiten für immer verwehrt, sind in der Regel nur Hungerrevolten, allenfalls mehr oder minder unpolitisches Banditentum zu erwarten, nicht aber der Aufbau eines neuen Sozialsystems. Und wo der Versuch doch gemacht wird, ist er häufig verbunden mit grotesken Mißgriffen und entsprechenden Rückschlägen, die den ohnehin langwierigen Prozeß der Umwandlung gefährden oder doch um Jahre und Jahrzehnte verzögern. Daß es auch multinationale Konzerne und fremde Regierungen gibt, die ihre mit feudalen Schichten verflochtenen Interessen durchzusetzen wissen, ist ein zusätzlicher Grund dafür, wie selten sozialer Wandel ohne schwerste Opfer gelingt.

Entwicklungsplaner unterstellen gern, daß das Vernünftige, ist es erst erkannt, auch getan werde. Dem ist natürlich nicht so. Regierungen verwenden immer den größeren Teil ihrer Energie darauf, sich an der Macht zu halten. Und in den meisten Industrieländern verbreitet der Verlust von einer Million Wählerstimmen bei Regierung oder Opposition mehr Schrecken als der Hungertod von einer Million Menschen in Südasien. Getan wird überall, was die Machtkonstellationen zu erlauben oder zu gebieten scheinen, nicht, was die Zukunft der Menschen sichert. Den Regierungen, und zwar keineswegs nur denen in Entwicklungsländern, wachsen die Schwierigkeiten über den Kopf. Je mehr dies geschieht, umso weniger können sie sich Anstrengungen und Ziele leisten, die nicht der Erhaltung ihrer Macht dienen. Anders gesagt: die Energien einer Regierung wenden sich um so weniger den Zukunftsaufgaben zu, je dringender dies geboten wäre.

Daraus ergibt sich ein anderer Zirkel: Wo Hoffnung rar wird, wo eben dafür Schuldige gesucht werden, breitet sich Gewalt aus. Sie führt meist nicht zu angemessenen Gesellschaftsstrukturen, sie ruft entweder überlegene Gegengewalt auf den Plan und führt zu faschistischen Gewaltregimen, oder sie erodiert alle politischen Strukturen und blockiert damit gezielte Entwicklungsbemühungen. Das erste kennzeichnet Gefahren und Realitäten Lateinamerikas; Südasien versucht verzweifelt, der zweiten Gefahr zu entkommen.

In den Industrieländern des Westens könnten beide Tendenzen parallel laufen: Die Krise der inneren Sicherheit könnte zu autoritären Regierungsformen führen, die ihrerseits diese Krise eher verschärfen als überwinden dürften. Noch nie war eine Zivilisation so verletzlich gegenüber winzigen Gruppen, die – aus welchen Motiven auch immer – entschlossen sind, die Apparaturen dieser Zivilisation außer Tritt zu bringen. Noch nie waren psychische Störungen und Kurzschlußreaktionen häufiger, noch nie folgenreicher als heute. Derselbe mitleidlose Konkurrenzkampf um Macht und Erfolg, der immer mehr Menschen psychisch überfordert, unterspült auch die sittlichen Fundamente, die bislang die Rechtsordnung getragen haben. Und die überall – mit unterschiedlichem Tempo – steigende Kriminalität wird ihrerseits wieder zum Schlagstock im Konkurrenzkampf um politische und wirtschaftliche Macht. Romantische Schwärmerei für Terror und Gewalt verhärtet Machtstrukturen, und eben diese Verhärtung provoziert neuen Terror. Wenn nur einer von tausend jugendlichen Arbeitslosen in aller Welt sich einer wohlorganisierten Terroristengruppe anschlösse, ließe sich Sicherheit im Flugverkehr oder in der Energieversorgung – zumal wenn es sich um Kernenergie handelt – nur unter einem Aufwand an

Sicherheitskräften gewährleisten, der nicht nur die öffentlichen Haushalte überfordern, sondern auch den liberalen Rechtsstaat aushöhlen müßte. Der Wettlauf zwischen Verbrechen und Sicherheitskräften dürfte – wie die USA zeigen – nicht zu gewinnen sein, solange wir innere Sicherheit nur als eine Frage nach der Stärke und Schlagkraft der Polizei betrachten. G. R. Taylor hat recht: »Nicht das Anwachsen der Gewalt ist das eigentliche Problem, sondern das Anwachsen von Ressentiment, Verzweiflung und Zerstörungssucht ...«[4]

So wenig sich die Bevölkerungsexplosion allein durch Familienplanung stoppen läßt, so wenig läßt sich die Welle von Kriminalität und Terror allein durch mehr Polizei auffangen. Wachsende Kriminalität zeigt die Krankheit einer Gesellschaft an, die im Wecken von Bedürfnissen allemal tüchtiger ist als in deren Befriedigung, wo die Glorifizierung nackter, oft sadistischer Gewalt mehr Profit abwirft als humorvolle Unterhaltung oder gar die Darstellung sozialer Konflikte.

III

Auch in den Industrieländern stoßen wir also auf mehr Grenzen, als sie der Klub von Rom bisher in seine Rechnung einbezogen hat.

Es gehörte seit John M. Keynes zum gesicherten Bestand der Wirtschaftspolitik in kapitalistischen Ländern, daß Konjunktur steuerbar sei. Bei schwacher oder nachlassender Konjunktur sollten die Mittel der Geld- und Fiskalpolitik Konsum und Investition anregen und Arbeitsplätze schaffen, bei überhitzter Konjunktur Überbeschäftigung und Preisauftrieb dämpfen. Damit sollte ein relatives Gleichgewicht erreicht werden, das größere Zahlen von Arbeitslosen oder eine rasche Erhöhung des Preisniveaus ausschloß. Im schlimmsten Fall, so meinten wir, müßten wir zeitweise zwischen beträchtlicher Arbeitslosigkeit und stärkerem Preisauftrieb wählen.

Seit einiger Zeit kämpfen die meisten Industriestaaten des Westens gleichzeitig gegen erhebliche Arbeitslosigkeit und gegen ungewöhnlich hohe Inflationsraten, und sie tun beides mit dürftigem Erfolg. Die USA schalteten bei einer zweistelligen Inflationsrate auf Expansion, um die Arbeitslosenquote unter acht Prozent zu drücken. Als die Arbeitslosenquote im März 1976 wieder unter der 8-Prozent-Marke lag (7,5 Prozent), und dies bei einer Inflationsrate von 6,1 Prozent, wurde dies als großer Erfolg gefeiert. In anderen Ländern bewegte sich die Inflationsrate um 20 Prozent, ohne daß sich die Arbeitslosigkeit beseitigen ließ. Die Mittel der Globalsteuerung wollen nicht mehr greifen. Wir erreichen offenbar auch eine Grenze in der Machbarkeit von Konjunktur.

Damit zusammen hängt die Krise der öffentlichen Haushalte. Mit dem raschen wirtschaftlichen Wachstum sind die Aufgaben der öffentlichen Hände überproportional gewachsen: Der Verkehr verlangt eine immer kostspieligere Infrastruktur, die modernen Industrien erfordern steigende Ausgaben für Bildung und Ausbildung, das Gesundheitswesen, das moderne Zivilisationskrankheiten reparieren soll, wird immer teurer, die Ausgaben für äußere und innere Sicherheit steigen rapide, und auch beim Umweltschutz wird ein großer Teil der Kosten den öffentlichen Händen zugeschoben. Kurz: Die sozialen Kosten wachsen noch rascher als die private Wirtschaft, die diese Kosten verursacht.

Dabei steigen die Personalkosten meist am raschesten. Wenn in der Industrie der Steigerung der Reallöhne zumindest im Schnitt eine höhere Produktivität gegenüberstand, konnte dies in Verwaltung oder Schule nicht der Fall sein. Wenn in einem Sektor die Nachfrage nach Leistungen überproportional, die Produktivität unterproportional steigt, darf man sich nicht wundern, wenn ein wachsender Teil der Arbeitskraft von diesem Sektor aufgesogen wird, zumal dann, wenn die Löhne und Gehälter dort zumindest nicht langsamer steigen als in der Industrie.[5]

Am meisten beunruhigt die Kostenexplosion im Gesundheitswesen, ganz gleich, ob es privat, staatlich oder parastaatlich organisiert ist, denn in jedem Fall trägt der Bürger die Kosten, die er als eine Art Steuer empfindet und die daher auch den Spielraum für staatliche Steuern einengen.

Die Bürger der USA gaben 1973 nicht weniger als 17,4 Prozent ihres Bruttosozialprodukts für ihr Gesundheitswesen aus. Innerhalb von zwanzig Jahren, in denen der Preisindex um 74 Prozent anstieg, kletterten die Kosten für Gesundheitsfürsorge und Gesundheitsvorsorge um 330 Prozent, die Kosten für Krankenhausaufenthalte um 500 Prozent.[6] Andere Industrieländer haben ähnliche Steigerungsraten teilweise hinter sich, teilweise noch vor sich. In der Bundesrepublik dürften die Krankenkassenbeiträge noch in diesem Jahrzehnt eine gefährliche Schwelle erreichen.

Daß mancher Arbeitnehmer heute schon mehr an seine Krankenkasse als an den Staat abführen muß, ist einer von mehreren Gründen dafür, daß die staatliche Steuerpolitik zunehmend von der Angst vor dem Glistrup-Effekt bestimmt wird. Daher wächst die Tendenz zu höherer Staatsverschuldung. Politisch ist es wesentlich bequemer, in der Rezession – unter Berufung auf konjunkturpolitische Wirkungen – die öffentliche Verschuldung zu erhöhen, als sie in der Hochkonjunktur zu verringern, was konjunkturpolitisch ebenso richtig wäre. Hohe Kreditaufnahme durch den Staat drückt das Zinsniveau nach oben, was unter anderem dazu führt, daß der staatliche Schuldendienst wesentlich rascher wächst als die Staatsverschuldung. In den USA wuchs die Bundesschuld von 1954 auf 1964 nur um 14 Prozent, die Zinszahlung jedoch um 68 Prozent. Im Jahr 1972 mußte der Steuerzahler in den USA 21 Milliarden Dollars für den Schuldendienst des Bundes aufbringen.[7] Das entspricht etwa dem Zehnfachen der US-Entwicklungshilfe. Was es bedeutet, wenn die Vereinigten Staaten 1975 bei einer zweistelligen Inflationsrate zur Dämpfung der Arbeitslosigkeit ihren Bürgern Steuern zurückzahlten und dafür das Staatsdefizit auf 76 Milliarden Dollars hochschnellen ließen, werden wir in den nächsten Jahren erfahren.

Von der Grenze der Finanzierbarkeit der öffentlichen Haushalte führt ein direkter Weg zur Grenze der Handlungsfähigkeit nationaler Regierungen, zumal in den westlichen Industriestaaten.

Eine Regierung, deren Existenz davon abhängt, daß sie – ohne ausreichende Instrumente – erfolgreich gegen Inflation und Arbeitslosigkeit gleichzeitig ankämpft, eine Regierung, die alle Hände voll zu tun hat, den – durch geringere Wachstumsraten verschärften – inneren Verteilungskampf zu regulieren, hat nur noch einen marginalen Handlungsspielraum. Je mehr sie sich darauf konzentriert, die Maschinerie der Gesellschaft und des Staates in Gang zu halten, umso hilfloser wird sie gegen die Pressionen mächtiger Interessengruppen, vor allem derer, die durch Entscheidungen über Investitionen diese Maschinerie in Gang setzen oder lahmlegen können. Und ausgerechnet solche Regierungen sollen die Kraft finden, aus den globalen Krisen unserer Zeit herauszuführen.

Was Pierre Viansson–Ponté schon 1971 im Blick auf seine Regierung in ›Le Monde‹ schrieb, gilt heute allgemein: »Die Regierung hat ihren Platz am geometrischen Ort der nationalen Widersprüche, der einander entgegengesetzten Pressionen ... Sie trifft keine rationale Auswahl und besitzt keine wirkliche Voraussicht, sondern muß sich damit begnügen, standzuhalten und, so gut es geht, zu reagieren.« Der Aufsatz schloß mit einer Frage, die heute weniger weit hergeholt scheint als 1971, nämlich: ». . . ob wir in diesem Jahrzehnt den Tod der Politik erleben werden, nicht etwa dieser oder jener Politik, sondern der Politik überhaupt.«[8]

Je geringer der Spielraum nach innen, um so wahrscheinlicher die Betonung nationaler Interessen nach außen. Wer den Verteilungskampf im Innern nur mühsam in geordneten Bahnen halten kann, wird dazu neigen, im internationalen Verteilungskampf zwischen Rohstoffproduzenten und Industriestaaten eine harte Linie zu vertreten. Und die Vierte Welt wird in seinen Überlegungen kaum auftauchen. Das heißt: Je schwächer nationale Regierungen nach innen werden, desto starrer werden sie nach außen. Die Schwäche des Nationalstaats führt nicht zum Aufbau internationaler Entscheidungsstrukturen, sondern zum rücksichtslosen Gegeneinander nationaler Interessen und damit möglicherweise auch zur Krise internationaler Institutionen.

IV

Vor uns steht nicht der Totalkollaps im Jahr 2050, sondern heute schon eine dramatische Folge von Teilkrisen, die sich gegenseitig bedingen und steigern. Wir leben nicht in einer Gewitterfront, hinter der sich demnächst wieder der blaue Himmel auftut. Was uns bedrängt, ist ein Wettersturz, der sich längst angekündigt hat. Es reicht nicht, den Regenschirm aufzuspannen, bis die Sonne wieder scheint. Wir brauchen andere, wärmere Kleider. Mit einem Krisenmanagement, das im Grund die Wiederherstellung des alten Zustandes im Visier hat, ist da wenig zu machen. Und mit einer politischen Theorie, die den Wettersturz noch nicht ausreichend zur Kenntnis genommen hat, noch weniger. Politik wird zur Krisenbewältigung, ob es uns paßt oder nicht. Fragt sich nur, ob es ein Krisenmanagement nach hinten oder eine Krisenbewältigung nach vorn ist. Über eine Krisenbewältigung nach vorn ist noch wenig nachgedacht worden, auf der Rechten nicht, weil man es für überflüssig und schädlich hält, links nicht, weil das Problem noch zu neu ist. Dafür gibt übrigens auch der Klub von Rom wenig Anregungen. Menschenwürdiges Überleben verlangt schließlich nicht nur einen bislang unvorstellbaren Lastenausgleich zwischen Nord und Süd, sondern eine Umstellung in nahezu allen Sparten unserer Politik.

Bislang klafft zwischen Futurologie und Politik eine riesige Lücke. Sie spiegelt den Abstand zwischen Bewußtsein und Realität. Diese Lücke wird gegenwärtig nicht geringer, sie wird größer. Unsere Antworten auf die Herausforderungen unserer Zeit werden immer unangemessener, verzagter oder auch unredlicher, der Abstand zwischen dem Zeithorizont politischer Entscheidungen und dem Zeithorizont unserer Aufgaben unerträglicher.

Ob wir einen Weg in die Zukunft finden, hängt vom Schließen der Lücke zwischen Realität und Bewußtsein ab. Wir müssen erst einmal begreifen, daß wir an einem historischen Wendepunkt stehen: von einem Zeitalter der Grenzüberwindung zu einem Zeitalter der Grenzbestimmung, von einem Zeitalter der unbegrenzten Möglichkeiten zu einem der möglichen Begrenzungen, von einem Zeitalter partiellen Überflusses zu einem Zeitalter, wo wir erkennen, was überflüssig ist. Und dann ist zu entscheiden, wie wir den Übergang schaffen von einer Epoche in die andere.

2. Kapitel:
Krise der Hoffnung

I

Die historische Zäsur, von der die Rede war, hat die öffentliche Meinung in der Bundesrepublik Deutschland beunruhigt und verwirrt. Manche sahen in den Ereignissen seit Oktober 1973 einen Betriebsunfall, dessen Folgen sich rasch bereinigen ließen. Schuldig waren die Ölscheiche, die – wider alle Vernunft – die Ölpreise erhöht hatten. Dies schloß die Hoffnung ein, alles käme wieder ins Lot, könnte man eine Senkung der Ölpreise erzwingen.

Unter der dünnen Oberfläche solcher Argumente spielt sich etwas Elementares ab: Während die Bundesrepublik ökonomisch bislang weniger als andere Industriestaaten getroffen wurde, scheint sie psychologisch eher stärker betroffen zu sein. Während wir uns zu Recht rühmen können, unter den großen

Industrienationen die geringste Inflationsrate, die höchsten Devisenreserven und Exportüberschüsse, die wirksamste soziale Sicherung zu haben, sind die Menschen eher tiefer verstört als anderswo. Ausgerechnet in dem Land, das bislang keine Realeinkommensverluste hinnehmen mußte, wühlt die Krise mehr auf als in andern, sind die politischen Auswirkungen spürbarer.

Das hängt wohl zusammen mit dem erregenden politischen Aufbruch des Jahres 1972. Mehr als Willy Brandt je ahnen oder gar wünschen konnte, war sein Wahlsieg im November 1972 ein emotionaler Höhepunkt für viele Millionen Bürger innerhalb und außerhalb der Sozialdemokratie. Die Hoffnung, daß »es« nun besser werde, was immer der einzelne dabei empfunden haben mag, hat mehr in Bewegung gebracht, als der Wahlsieger sich wünschen konnte. Er schien zu wissen, wie es weitergehen sollte, und eine Mehrheit vertraute ihm, traute ihm zu, daß er auf eine – seine – menschliche Weise in eine menschliche Zukunft führen würde.

Dann kam die Ölpreiskrise, ein Jahr nach der Wahl. Die Regierung wußte sowenig wie jede andere, wie es nun weitergehen sollte. Sie war so wenig vorbereitet wie die japanische oder die britische. Was der Wirtschaftsminister zu Beginn jeder Kabinettsitzung berichten mußte (für die nächsten zwei Wochen kann ich mit einiger Wahrscheinlichkeit sagen, daß . . ., eine Prognose für mehr als sechs Wochen ist nicht möglich), spiegelte die ganze Hilflosigkeit der demokratisch verfaßten Industrienationen gegenüber denen wider, die Öl produzieren oder – als multinationale Konzerne – über seine Verteilung entscheiden. Die Hoffnung, daß »es« besser werde, wich der Unsicherheit, wie »es« weitergehen werde, und da es darauf keine überzeugende Antwort gab, wurde aus Unsicherheit Angst, aus der Angst das Heimweh nach dem, was einmal war.

So haben wir es in der Bundesrepublik nicht nur mit einer Krise des Wachstums, der Beschäftigung, des Geldwerts, der öffentlichen Haushalte zu tun, sondern auch mit einer Krise der Hoffnung.

II

Der private Konsum in der Bundesrepublik Deutschland ist nach wie vor höher als in den meisten Ländern der Erde. Es war das erklärte Ziel der Regierung, ihn – allen Krisenerscheinungen zum

Trotz – nicht nur zu halten, sondern zu steigern. Sie war entschlossen, dieses Ziel anzusteuern auf Kosten
– der öffentlichen Investitionen (Steuerentlastung um 14 Mrd. DM);
– der Steuerzahler von morgen und übermorgen (öffentliche Verschuldung);
– der übrigen Welt, d. h. von Leistungen, die zumindest dort als moralische Verpflichtungen der Bundesrepublik Deutschland verstanden wurden (Kindergeld für Gastarbeiter, Etat der Europäischen Gemeinschaft, Entwicklungspolitik).

Was immer konjunkturpolitisch für eine solche Politik sprechen mochte, jedermann weiß, daß sie nicht lange durchzuhalten ist. Eine Stimulierung des Konsums durch Steuererleichterungen ist nicht wiederholbar, auch nicht eine öffentliche Verschuldung im Stil der Jahre 1975 und 1976. Auch die Demonstration, wir seien schließlich nicht der Welt Zahlmeister, mag innenpolitisch des Beifalls sicher sein, außenpolitisch trägt sie nicht weit.

Was auch immer die Zuwachsraten – positiv oder negativ – unseres Konsums sein mögen, eines ist bereits sicher: Die Regel, daß der gehobene Konsum von heute der Massenkonsum von morgen sein müsse, gilt nicht mehr. Kühlschrank, Waschmaschine oder Auto waren 1950 einer kleinen Schicht vorbehalten, heute sind sie es nicht mehr. Der gehobene Konsum von gestern ist der Massenkonsum von heute. Aber der gehobene Konsum von heute wird nicht der Massenkonsum von morgen sein.

Das Ferienhäuschen am Luganersee, den Urlaub auf Bali, die eigene Jagd, das Reitpferd, das beheizte Schwimmbad in der eigenen Villa, Dienstpersonal, das Golfspiel, den Zweitwagen wird es nicht für jede Familie geben, unabhängig davon, ob die Statistik Wachstumsraten ausweist oder nicht. Daß für das Ferienhäuschen in der freien Landschaft der Platz, für das Schwimmbad die Energie nicht ausreicht, liegt auf der Hand. Aber auch die Ferienreise nach Bangkok oder Nairobi wird die Ausnahme bleiben: Solcher Massentourismus scheitert am Energiemangel und an den Energiekosten, und wäre dem nicht so, wer wollte – gegen den Widerstand der Anwohner – einige Dutzend neuer Flugplätze dafür schaffen? Und selbst wenn es schließlich gelänge, unsere Republik in Flugplätze, Parkplätze, Müllplätze und allenfalls Golfplätze einzuteilen, so würden die Meteorologen Einspruch erheben, weil schon die heute fliegenden Düsenmaschinen die Atmosphäre auf eine für das Klima gefährliche Weise verschmutzen.

Galbraith markiert noch eine andere Grenze für den Konsum: »Von einem gewissen Punkt an werden Besitz und Verbrauch von Gütern zu einer Last, falls man die damit verbundenen Aufgaben nicht delegieren kann. So hat man nur dann etwas von immer raffinierteren und ausgefalleneren Speisen, wenn ein anderer sie zubereitet. Sonst wird jeder normale Mensch bald den Eindruck gewinnen, daß der erforderliche Zeitraum in keinem Verhältnis zum Lustgewinn durch den Genuß der Speisen steht. Immer größere und vollkommenere Wohnungen stellen in Pflege und Verwaltung eine immer größere Belastung dar. Dasselbe gilt für Kleidung, Fahrzeuge, den Garten, Sportgeräte und andere Konsumartikel. Dem Konsum sind keine Grenzen gesetzt, wenn es Leute gibt, auf die man die Verantwortung der Verwaltung abwälzen kann und die wiederum imstande sind, eine entsprechende Dienerschaft zu besorgen und zu beaufsichtigen. Ansonsten ist Konsum streng begrenzt.«[9]

Da die meisten Menschen immer ihre eigenen Diener, Verwalter, Gärtner oder Zubereiter sein werden, zeichnen sich auch hier Grenzen des Konsums ab.

Es mag ein realistisches Ziel sein, den Konsumstandard des Facharbeiters auch denen zu ermöglichen, die ihn heute noch nicht haben. Es muß möglich sein, jedem, der dies wünscht, seinen Farbfernseher oder seine Waschmaschine und eine anständige Wohnung zu verschaffen. Es ist aber nicht möglich, den gehobenen Konsum von heute zum Massenkonsum von morgen zu machen. Also verfängt auch die Vertröstung nicht mehr, bei stetigem Wachstum kämen alle einmal dran.[10]

Aus dieser simplen, aber doch wohl neuen Einsicht ergibt sich:
- daß der Verteilungskampf härter werden dürfte;
- daß Einkommenspolitik nicht mehr darin bestehen kann, Löhne und Gehälter linear zu erhöhen;
- daß Investitionen und noch mehr die Dienstleistungen der öffentlichen Hände nicht überflüssig werden, sondern wichtiger. Den armen Staat können sich auch in Zukunft nur die Reichsten leisten.

III

Die öffentlichen Haushalte in der Bundesrepublik Deutschland sind gekennzeichnet

- durch rapide Kostensteigerungen bei den Dienstleistungen, besonders in den Bereichen Gesundheit, Bildung, Verwaltung und Verkehr (Bahn, Post, kommunaler Nahverkehr);
- durch eine abnorm niedrige Steuerlastquote. Sie lag für 1975 bei 23,3 Prozent. (Will man nach Abschaffung der Kinderfreibeträge und Auszahlung von Kindergeld durch die Arbeitsämter Vergleichbarkeit mit früheren Quoten herstellen, so muß noch ca. ein Prozent abgezogen werden.) Die Steuerquote von 1975 lag also um ca. 2 Prozent unter der von 1969, international dürfte sie eine der niedrigsten sein, lediglich unterboten von Italien und der Schweiz;[11]
- durch abnormen Zuwachs der Nettokreditaufnahme. Allein die Verzinsung der Kreditaufnahme 1975 dürfte Mittel in Höhe eines Prozentpunktes Mehrwertsteuer in Anspruch nehmen.

Deficit-spending ist ein anerkanntes Mittel jeder Konjunkturpolitik und wird es auch bleiben, obwohl die Zweifel an der Wirksamkeit Keynesscher Rezepte nicht geringer geworden sind. Darüber hinaus wird öffentliche Verschuldung damit gerechtfertigt, daß die künftige Generation durchaus in der Lage sei, mit ihrem größeren Wohlstand die finanziellen Lasten der Investitionen mitzutragen, die heute – auch in ihrem Interesse – getätigt würden. Wachsende Verschuldung wird damit gerechtfertigt, daß zusätzlicher öffentlicher Kredit auch zusätzliches Wachstum schaffe, aus dem die Kredite bedient werden könnten.[12] Dies mag richtig sein, wenn die Produktionskapazitäten aus konjunkturellen Gründen nicht ausgelastet sind. Aber was geschieht, wenn aus ganz anderen Gründen Wachstum in nennenswertem Ausmaß unwahrscheinlich wird?

Auch wenn wir in den nächsten Jahrzehnten nicht von einer Katastrophe in die andere stolpern, so ist es doch nicht eben wahrscheinlich, daß es der nächsten Generation materiell wesentlich besser gehen wird als der unseren.

Öffentliche Verschuldung könnte also bedeuten, daß wir heute auf Kosten derer konsumieren, über deren Lebenschancen wir nur wenig Präzises und noch weniger Erfreuliches wissen. Nicht genug, daß wir beim Verbrauch von Öl und Rohstoffen, bei der Verschmutzung und Vergiftung von Wasser und Luft wenig Rücksicht auf unsere Kinder nehmen, wir erwarten auch, daß sie mit ihren Steuergroschen die Staatspapiere verzinsen und tilgen, die wir mit ersparten Steuern gekauft haben. Natürlich werden es Angehörige derselben Generation sein, denen diese

Zinsen zufließen, aber sicher nicht diejenigen, für die das Steuerzahlen einschneidenden Konsumverzicht bedeutet.

Kurz: Die ganze Theorie der öffentlichen Verschuldung muß neu durchdacht werden. Wir müssen in den nächsten Jahren die öffentliche Kreditaufnahme nicht ausweiten, sondern einschränken. Daß dies bei einer Steuerquote von zwischen 22 und 23 Prozent möglich sei, wird niemand im Ernst behaupten.

Da hilft auch nicht die Forderung nach Einschränkung des »Staatsverbrauchs«. Staatsverbrauch kann Aufblähung des Beamtenapparats, dauernde Verbesserung der Stellenkegel bedeuten. Dem muß in der Tat Einhalt geboten werden. Staatsverbrauch kann auch mehr Dienstleistungen für Gesundheitsvorsorge oder Erwachsenenbildung bedeuten. Davon brauchen wir nicht weniger, sondern mehr. Die Formel vom Staatsverbrauch ist eher geeignet, Emotionen zu wecken, als Sachverhalte zu klären.

IV

Was uns vorläufig noch mehr auf den Nägeln brennt als die öffentlichen Haushalte, sind Inflation und Arbeitslosigkeit, zumal es sich inzwischen sogar als schwierig erweist, das eine auf Kosten des anderen zu bekämpfen. So richtig die Feststellung des Finanzministers Helmut Schmidt war, fünf Prozent Preissteigerung seien fünf Prozent Arbeitslosigkeit vorzuziehen, so war doch auch die Empörung darüber vorauszusehen: man wollte nicht eingestehen, daß von zwei entscheidenden Zielen, Vollbeschäftigung und Preisstabilität, meist nur eines auf Kosten des anderen zu haben sei.[13] Heute sind viele froh, wenn wenigstens dies gelingt, denn die Inflation entzieht sich immer mehr dem Zugriff nationaler Regierungen. Zum einen gibt es in hochindustrialisierten Staaten einen wachsenden Sektor multinationaler Großunternehmen, der sich gegen alle Stabilitätspolitik unempfindlich zeigt, zum anderen kommt zum nationalen Verteilungskampf der internationale zwischen Rohstoffproduzenten und industriellen Verarbeitern. Ein zusätzlicher Inflationsschub ergibt sich aus der Tatsache, daß wir gelegentlich noch so tun, als ob beträchtliches Wachstum zu verteilen wäre. Hier gibt es einen Bremswegeffekt: Das Bewußtsein einer Periode raschen Wachstums bestimmt noch das Handeln in einer Periode, in der Wachstum zumindest nicht mehr selbstverständlich ist.

Seit Herbst 1973 ist Konjunkturpolitik noch schwieriger geworden, als sie es durch die Weltwährungskrise bereits geworden war. Ein halbes Jahr, nachdem durch die gemeinsame Freigabe der Wechselkurse die außenwirtschaftliche Flanke der Stabilitätspolitik abgesichert erschien, hat die Verteuerung von Öl und einigen anderen Rohstoffen alle Kalkulationen über den Haufen geworfen. Gegen den Inflationsschub, der daraus entstand, hat sich niemand so gut behauptet wie die Bundesrepublik. Aber dann zeigten sich sekundäre Folgen: Verunsicherte Bürger übten Zurückhaltung im Konsum, was zu einer relativ niedrigen Inflationsrate beitrug, aber die Konjunktur noch weiter bremste. Die Automobilindustrie war nicht ausgelastet, weil hohe Benzinpreise in aller Welt das Autofahren verteuerten und damit ein ohnehin erkennbarer Sättigungsgrad sich früher als erwartet bemerkbar machte. Die Zahlungsbilanzen einiger wichtiger Partnerländer waren so aus der Balance gekommen, daß der Export keinen dauerhaften Ausweg mehr versprach. Eine veränderte weltwirtschaftliche Arbeitsteilung beschleunigt Umstrukturierungen in unserer Wirtschaft. Strukturelle Schwächen (Automobilindustrie, Bauwirtschaft etc.) verstärkten den konjunkturellen Abschwung, dieser seinerseits vertiefte die Einbrüche in den kritischen Branchen.

Wer in dieser Situation nach Patentrezepten fragt oder gar solche anbieten möchte, bringt sich um den Anspruch, ernst genommen zu werden. Sicher ist, daß das Instrumentarium der Globalsteuerung angesichts einer solchen Verflechtung verschiedenartiger Krisenerscheinungen grobschlächtig erscheint. Für den Rest dieses Jahrzehnts muß sich jede Bundesregierung herumschlagen mit struktureller Arbeitslosigkeit und starkem Inflationsdruck.

Wahrscheinlich wird eine relative Vollbeschäftigung (weniger als eine halbe Million Arbeitslose) nur durch eine Inflationsrate zu erkaufen sein, die, international immer noch gering, für deutsche Verhältnisse beunruhigend erscheint.

V

Unsicherheit breitet sich auch da aus, wo eine Mehrheit der Bürger den Reformwillen der Regierung mit getragen hat.

Daß unsere Kinder gleiche Chancen in der Schule bekommen

sollten, wollten und wollen die meisten von uns. Aber sind wir der Chancengleichheit soviel näher gekommen, wie wir wollten? Ist der Chancengleichheit eine Grenze dadurch gesetzt, daß in den ersten drei Lebensjahren Entscheidungen fallen, die ein Leben lang nicht mehr zu revidieren sind? Wird ein Kind, das in dieser Zeit lieblos von Heim zu Heim geschoben wurde, je dieselben Chancen haben wie eines, dem sich eine Mutter – oder eine andere Bezugsperson – voll und ungestört zuwenden konnte?

Engagierte Bürger wollten, daß mehr junge Menschen höhere Schulen besuchen. Und dieses Ziel ist in einem erstaunlichen Umfang erreicht worden. Aber was wird nun aus ihnen? Junge Menschen müssen heute mehr als je zuvor seit Gründung der Bundesrepublik um ihre Chancen kämpfen und bangen. Das beginnt beim Suchen der Lehrstelle, setzt sich fort mit Jugendarbeitslosigkeit und im Numerus clausus und endet bei stellenlosen Lehramtsbewerbern und der Nachwuchssperre an den Hochschulen. Haben die Dreißig- und Vierzigjährigen, kaum gehemmt durch die Reste der Kriegsgeneration, inzwischen alle wichtigen Positionen für Jahrzehnte besetzt? Kommt es zu jener Aussperrung der jungen Generation, vor der ernsthafte Beobachter warnen?

Allenthalben in der Bundesrepublik haben die Politiker aller Parteien Verwaltungsgrenzen verschoben, Kreise und Gemeinden zusammengelegt, neue Städte und Gemeinden gegründet. Sie hatten den Bürgern klargemacht, dies sei nötig, wenn sie richtig versorgt werden sollten mit Turnhallen, Bibliotheken oder Krankenhäusern. Den Bürgern hatte dies eingeleuchtet, weil es schließlich auch vernünftig war.

Aber nun stellt sich heraus, daß die Verwaltung dadurch nicht einfacher, sondern oft noch komplizierter geworden ist, und mancher fragt sich, ob das Gefühl, in einer überschaubaren Gemeinde zuhause zu sein, nicht doch ein paar andere Nachteile aufwiege.

Viele hatten sich vorgenommen, mehr Demokratie zu wagen, sei es im Betrieb, in der Gemeinde, an der Schule und Hochschule. Die Rezession machte sichtbar, wer trotz allem im Betrieb das Sagen hat. In der Gemeinde zeigt sich, daß der Gedanke der Bürgerinitiative häufiger, als dies gut ist, von robusten Interessengruppen diskreditiert wird, in Schule und Hochschule gibt es zu wenige, die fähig und engagiert genug sind, um die Chancen zu nutzen, die ihnen die neuen Gesetze bieten. Kurz: Es ist alles viel schwieriger, als wir es uns vorgestellt hatten. Überall stoßen wir an Grenzen.

VI

Nicht weniger befremdlich und verwirrend sind die Nachrichten, die von außen zu uns dringen. Da erhält der Chef der palästinensischen Befreiungsbewegung bei der UNO in New York einen jubelnden Empfang und wird schließlich als Beobachter zur Weltorganisation zugelassen. Da übernimmt in Mozambique eine Bewegung die Macht, die bis vor kurzem dem deutschen Bürger als eine Horde blutrünstiger Terroristen dargestellt wurde. Und diese Befreiungsbewegung bittet voll Selbstbewußtsein die Portugiesen, doch ihre Truppen vorläufig im Lande zu lassen, damit kein Machtvakuum entsteht. In Angola wird eine Gruppe von der Sowjetunion und Kuba, die andere vom Westen, China und Südafrika unterstützt, worauf bei uns die eine unter dem Etikett »pro-westlich«, die andere unter »pro-sowjetisch« läuft. Daß die »pro-westliche« unterliegt, empört gerade die Leute, die durch ihre Unterstützung des faschistischen Portugal die Befreiungsbewegungen zur Anlehnung an den Osten gezwungen hatten, und beunruhigt eine Öffentlichkeit, die immer noch nicht begreifen will, daß in Afrika jeder von vornherein verloren hat, der sich mit dem Apartheids-Regime in Pretoria einläßt. Daher auch großes Erstaunen, als die Südafrikanische Union einfach von den Verhandlungen jener UNO ausgeschlossen wird, die doch einst die Gründung des weißen Mannes war.

Die Entwicklungsländer, die am erbarmungswürdigsten unter den hohen Ölpreisen leiden, wenden sich in der UNO keineswegs gegen die Ölproduzenten, sondern gegen uns, die Industrieländer. Den kommunistischen Chinesen fällt es schwer, den Amerikanern wegen ihrer Kontakte mit den kommunistischen Russen nicht zu mißtrauen. Und schließlich gibt es im eigenen Lande Menschen, die Unschuldige umbringen und sich selbst zum Hungertod zwingen, nur um unser System zu diskreditieren. Und sie werden von Kommunisten als kleinbürgerliche Romantiker verurteilt.

Der Deutsche, der seit 25 Jahren gewohnt ist, in den Kategorien des Ost-West-Konflikts zu denken, tut sich schwer, dies alles einzuordnen. Die Welt scheint aus den Fugen zu sein, wer renkt sie wieder ein? Woher sollen die Deutschen wissen, wieviele Demütigungen die Vertreter der Dritten Welt noch bei den Welthandelskonferenzen einstecken mußten, wieviel Ressentiment sich angesammelt hat bei denen, die seit zwanzig Jahren um Zugeständnisse betteln müssen und nur wohlgesetzte Reden mit guten Ratschlägen zu hören bekommen, noch 1974 in Bukarest bei der Weltbevölkerungskonferenz, in Rom bei der Welternährungskonferenz und in Nairobi 1976 bei UNCTAD IV?

Dem deutschen Bürger wird gesagt, jetzt gebe es einen politischen Ölpreis, festgesetzt von einem Machtkartell der Ölproduzenten. Als ob der frühere, billigere Ölpreis kein politischer Preis gewesen wäre! Nur waren bis dahin wir die Mächtigen, die den Ölländern ihren Willen aufzwingen konnten. Jetzt zwingen sie uns ihren Willen auf.

Wer den Zynismus nicht kennt, mit dem die Industrienationen die ökonomisch Schwächeren in der südlichen Erdhälfte behandelt haben, und, wo sie es sich leisten können, heute noch behandeln, wird fassungslos vor den emotionalen Ausbrüchen stehen, die heute die Weltorganisation durchschütteln und möglicherweise funktionsunfähig machen. Wer sich nicht klarmacht, wie oft Vertreter der Dritten Welt uns gegenüber ihren ohnmächtigen Zorn hinter einem verlegenen Lächeln verbergen müssen, wird nicht begreifen, daß diese Politiker sich Arafat näher fühlen als uns.

Was heute auf der Welt vor sich geht, ist teilweise vergleichbar mit dem Aufbruch der Arbeiterbewegung vor hundert Jahren. Nachdem man jahrelang um etwas mehr Lohn und Freizeit gebettelt hatte, schloß man sich zusammen, um zu ertrotzen, was die Unternehmer freiwillig nicht zugestehen wollten. Daß da manches Irrationale im Spiel war, daß man den Bourgeois auch erschreckte, wo es weder nötig noch sinnvoll war, gehörte zu diesem Aufbruch. Der Arbeiter wollte gleichberechtigt am Tisch sitzen, und schließlich saß er auch am Tisch.

Wie der Fabrikant von 1875, so ereifern wir uns heute über die Undankbarkeit jener, denen wir doch so großmütig geholfen hätten. Wie der Kapitalist von 1875, so verstehen auch wir die Welt nicht mehr. Daß dies damals am Fabrikanten lag, ist für uns eine Binsenweisheit. Leider haben wir keine hundert Jahre Zeit, um zu begreifen, an wem es liegt, wenn wir heute die Welt nicht mehr verstehen.

Wo Großmächte vor Ölscheichen kuschen, wo frei gewählte Regierungen ihre Hilflosigkeit gegenüber multinationalen Konzernen eingestehen, wo Rebellen von heute auf morgen zur Obrigkeit werden, wo Milliarden Menschen sich nicht mehr damit abfinden wollen, daß wir immer reicher werden, während sie im Elend verkommen, wo – für viele urplötzlich – Energie und Rohstoffe, dann auch noch Nahrungsmittel knapp werden, wo gegen die Inflation kein heilendes Kraut, gegen die Arbeitslosigkeit allenfalls ein linderndes wachsen will, ist mancher Bürger überfordert. Niemand sollte ihm verübeln, wenn er Schutz sucht, wo keiner zu finden ist: bei denen, die schon immer gegen Experimente waren. Wer auf die angstvolle Frage, wie es denn weitergehen solle, keine überzeugende Antwort erhält, wendet sich denen zu, die doch einmal Ruhe, Ordnung und Sicherheit garantierten. Der Einwand, nur das Vieh suche, aus dem brennenden Stall geholt, wieder im brennenden Stall seine Zuflucht, mag Nachdenkliche noch nachdenklicher machen, an dem Vorgang ändert er nichts.

Was sich heute als Reformmüdigkeit, als Nostalgie, als reaktionäre Welle oder gar als Neuauflage eines borniertem Nationalismus äußert, ist letztlich eine Krise der Hoffnung. Es ist nicht wahr, daß der Mensch nur in der Gegenwart lebe, daß es ihm nur darauf ankomme, was er hier und heute in der Lohntüte hat. Er lebt immer auch in der Zukunft. Wo die Zukunft überwiegend als Chance erlebt wird, dominiert Hoffnung. Wo die Zukunft überwiegend als Bedrohung empfunden wird, als etwas Undurchsichtiges, Undurchschaubares, Gefährliches, dominiert die Angst. Wo der Mensch keine Hoffnung hat, »bekommt seine Gegenwart greisenhafte Züge. Ohne Hoffnung kommt die Zukunft bereits alt und schal bei uns an«.[14] Mit dieser Vergreisung der Gegenwart aus Mangel an Zukunft haben wir es zu tun. Menschen klammern sich an die Sicherheiten der Vergangenheit, an Vorurteile, die wir längst für überwunden hielten.

Progressiv werden Menschen immer nur sein, wenn sie sich zutrauen, mit der Zukunft fertig zu werden, etwas aus ihr zu machen. Nostalgisch oder gar reaktionär werden sie reagieren, wenn sie das Gefühl haben, niemand wisse mehr, wie die Zukunft zu meistern sei.

Wenn eine rückwärtsgewandte Welle heute bis in die Schulen hinein wirkt, so nicht nur deshalb, weil die progressive Welle sich gerade im intellektuellen Bereich geräuschvoll überschlagen hat, auch nicht nur, weil »linke« Theorien immer abstruser wurden, je zäher sich das Beharrungsvermögen des Bestehenden zeigte, nicht nur, weil sich daraus jene »Frustration« ergab, von der heute allenthalben die Rede ist, sondern auch, weil langsam, aber sicher die Angst über die Hoffnung die Oberhand bekam.

Daß die Angst von denen geschürt wird, die schon immer davon profitiert haben, ist ebenso richtig wie irrelevant: sie versuchen es immer. Und sie haben auch die Macht dazu. Nur: Warum sie es heute mit Erfolg tun, während sie es noch 1972 ohne Erfolg versuchten, ist des Nachdenkens wert.

Was Autoren wie Schelsky zu bieten haben, ist weder neu noch umwerfend. Daß es Anklang findet, nachgeredet wird, ist nur verständlich, wenn man den Hintergrund sieht: die Krise der Hoffnung.

Wie tief diese Krise inzwischen geht, hat der Bundestagswahlkampf 1976 gezeigt. Er wurde nicht geführt als Wettbewerb um die plausibelsten Konzepte mittelfristiger Krisenbewältigung. Er wurde nicht geführt um einen der vielen dramatischen Sachkonflikte, die auf der Straße liegen. In das Vakuum, das der Mangel an Sachalternativen gelassen hatte, dringen die Ängste, die Vorurteile, die Schlagworte und Parolen der fünfziger, ja der zwanziger und frühen dreißiger Jahre ein und zerstören den Grundkonsens, auf den die Bundesrepublik Deutschland gebaut wurde. Der Abstand zwischen Wirklichkeit und Bewußtsein ist in der Bundesrepublik rapide gewachsen. Wächst er weiter, so dürfte es dieser Gesellschaft schwerfallen, sich andern in Europa und darüber hinaus noch ausreichend verständlich zu machen. Der häßliche Deutsche wäre dann ein Mensch, der aus Angst vor der Wirklichkeit von heute und den Gefahren von morgen in die Begriffswelt und die Ressentiments einer Vergangenheit flüchtet, in der die Welt ihn fürchten und hassen lernte. Dagegen ist mit einem naiven Reform-Optimismus nicht anzukommen.

Reformen, zumal wenn sie – ungewollt – die Assoziation zunehmender Glückseligkeit hervorrufen, interessieren den nicht, der sich, unsicher und desorientiert, um seine Existenz ängstigt. Er wird auch Langzeitprogrammen nur dann etwa abgewinnen, wenn er sehen kann, wie sie an die Krisen der Gegenwart anknüpfen.

Wer es mit der Angst aufnehmen und Hoffnung wecken will, darf weder in den Verdacht kommen, er habe sich mit der Sintflut nach ihm schon abgefunden, noch darf er den Eindruck erwekken, er flüchte sich aus der bösen Gegenwart in Träume einer schöneren Zukunft: er muß zuerst und vor allem die Wahrheit sagen. Er muß glaubhaft machen, daß er den Willen hat, es mit den Krisen seiner Zeit aufzunehmen, und, ausgehend von einleuchtenden Maßstäben und Grundwerten, keine rosige, aber doch eine menschliche Zukunft vorzubereiten.

3. Kapitel:
Strukturen oder Werte bewahren?

I

Daß der Glaube an einen geschichtsnotwendigen oder gar automatischen Fortschritt die Zäsur der frühen siebziger Jahre nicht überleben kann, bedarf keiner ausführlichen Begründung mehr. Wer nicht verhindern kann, daß an vielen Stellen immer wieder die Hölle auf Erden durchbricht, wird nicht dazu neigen, über den Himmel auf Erden nachzudenken. Wer sich tagtäglich den Kopf an Grenzen und Mauern wundstößt, wird nicht vom grenzenlosen Fortschritt träumen.

Daß sich Menschen in kritischer Zeit an das klammern, was sie haben, ist nur natürlich. Dies gilt besonders für die Generation, die das Errungene nicht für selbstverständlich halten kann, weil sie Diktatur, Krieg und Hunger noch im Gedächtnis hat.

Es gibt in unserer Gesellschaft vieles, was einer Anstrengung des Bewahrens wert ist. Die Frage ist nur: Was kann und soll bewahrt werden, und wie kann dies geschehen?

Schon auf die Frage, was zu konservieren sei, erhalten wir zwei sehr verschiedene Antworten, die beide mit demselben Begriff als konservativ bezeichnet werden. Die eine zielt auf Strukturen: Zu bewahren sei unter allen Umständen und ohne Abstriche das ökonomische System mit seinen Machtstrukturen, zu erhalten seien dieEinkommenshierarchien, auch wo sie auf skurrile Weise verzerrt sind, die Eigentumsordnung, auch wo sie dem Gemeinwohl im Wege steht, zu bewahren seien Normen des Strafrechts, auch wo sie ihren Zweck verfehlen, Formen des Welthandels, auch wo sie das nackte Leben ganzer Völker gefährden, nationale Ansprüche, auch wo die Geschichte längst darüber hinweggegangen ist, institutionelle Autorität, auch wo sie sich längst selbst verschlissen hat.

Hier geht es offenkundig um die Konservierung von Machtpositionen, von Privilegien, von Herrschaft. Im Folgenden wird daher von Strukturkonservatismus die Rede sein.

Meist besteht der geistige Fundus dieser Strukturkonservativen aus dem letzten Aufguß des Liberalismus der Jahrhundertwende. Sie geben sich optimistisch, setzen nach wie vor Wachstum mit Fortschritt gleich, glauben an die menschliche Erfindungskraft, die schließlich – technokratisch – alles wieder ins Lot bringe, verwechseln Erfolg mit Leistung, sie huldigen einem extremen Individualismus, der oft in krassen Sozialdarwinismus ausartet, sie sagen Freiheit und meinen Privilegien, sie halten Gerechtigkeit für eine romantische Vokabel und sich selbst für Pragmatiker, weil sie es als Zeitverschwendung ansehen, über ihre eigenen Werturteile zu reflektieren.

Dieser Strukturkonservatismus ist Ideologie im strengen Sinne der Marxschen Definition: Überbau zum Schutz und zur Rechtfertigung von Herrschaft. Da die Machtstrukturen von heute am besten mit den progressiven Ideologien von vorgestern abgesichert werden können, sind sogar die letzten Reste eines naiven Fortschrittsglaubens ins Lager der Strukturkonservativen ausgewandert: Keine Angst, es wird sich alles wieder einspielen, man muß uns nur machen lassen. Wie dieser strukturkonservative Wachstums- und Fortschrittsglaube in unverhohlenen Zynismus umschlägt, sobald er mit der Realität in Konflikt kommt, zeigt Hermann Kahn mit seiner Bemerkung, auch der Hungertod von fünf Millionen Menschen »ändert die Kurven nicht«.[15]

Dieser Strukturkonservatismus ist fast in allen Stücken dem entgegengesetzt, was die europäische Geschichte an christlich-konservativer Tradition hervorgebracht hat und was heute auch in Bereiche hinein ausstrahlt, die sich nicht auf diese Tradition berufen. Der Strukturkonservatismus gerät in Konflikt mit einem Konservatismus, dem es weniger um Strukturen als um Werte geht, der beharrt auf dem unaufhebbaren Wert des einzelnen Menschen, was immer er leiste, der Freiheit versteht als Chance und Aufruf zu solidarischer Verantwortung, der nach Gerechtigkeit sucht, wohl wissend, daß sie nie zu erreichen ist, der Frieden riskiert, auch wo er Opfer kostet. In dieser Tradition haben Werte wie Dienst oder Treue, Tugenden wie Sparsamkeit oder die Fähigkeit zum Verzicht noch keinen zynischen Beigeschmack. Dieser Konservatismus verficht die Würde des Leidenden und fordert die Würde des Sterbens zurück. Vor allem aber geht es ihm heute um die Bewahrung unserer natürlichen Lebensgrundlagen. Im Folgenden sei daher von Wertkonservatismus die Rede.

Dieser Konservatismus der Werte war immer mißtrauisch, wenn von Fortschritt, zumal vom technischen, die Rede war, er neigt heute gelegentlich dazu, sich durch die Ereignisse mehr bestätigt als herausgefordert zu fühlen. Er hat nie geglaubt, aus dem freien Spiel der Kräfte müsse notwendig Gutes erwachsen. Auf die Frage angesprochen, wie dieses Gute zustandekomme, hat er oft moralische Kräfte über- und Machtverhältnisse unterschätzt.

II

Wertkonservatismus ist oft an Stellen lebendig, wo man ihn nicht vermutet: er war auch eine der Antriebskräfte der Studentenrevolte. Viele Studenten der späteren sechziger Jahre rebellierten, weil sie die Werte, von denen man ihnen allzuviel geredet hatte, von Machtstrukturen überrollt sahen, die ihnen fremd und feindlich gegenübertraten. Sie sahen, wie die Natur überfordert, die Umwelt vergiftet, solidarische Gemeinschaft verhindert, Menschenwürde – bei uns und noch mehr in der Dritten Welt – mit Füßen getreten, der Gedanke der Gerechtigkeit verhöhnt, ihre Zukunft verspielt wurde. Einer der Führer der amerikanischen Studentenbewegung, Todd Gitlin, hat diese neue Erscheinung des eher pessimistischen Revolutionärs so beschrieben: Zwar sei Zukunftsorientierung ein Kennzeichen jeder revolutionären Bewegung der letzten anderthalb Jahrhunderte gewesen, aber die neue Linke leide doch an »Mißtrauen gegenüber der Zukunft«. Das Grunderlebnis dieser Generation entspricht wohl ziemlich genau der Frage von Jochen Steffen, »ob es einen Sinn hat, in dieser riesigen Tretmühle, deren Tempo wir selbst ständig beschleunigen und die uns zu immer schnellerem Tempo zwingt, bis alles durcheinanderpurzelt, immer weiter mitzulaufen«.[16] Sie wollten nicht mehr mitlaufen, weil sie nicht mehr sahen, was dies für einen Wert haben solle. Daß diese Bewegung dann in marxistischen Dogmatismus und Dogmenstreit einmündete, liegt vor allem daran, daß eine andere als die marxistische Antwort auf die Fragen der Jungen damals nicht angeboten wurde.

Die meisten Auseinandersetzungen in der Bundesrepublik sind heute solche zwischen Strukturkonservativen und Wertkonservativen.

Wenn eine Autobahn über den Hochschwarzwald gebaut werden soll, verbünden sich Jungsozialisten mit Bergbauern gegen Christdemokraten und Industrieverbände. Den einen geht es darum, den Wert einer unvergleichlichen Landschaft zu bewahren, den anderen, das wirtschaftliche Wachstum zu sichern, ohne das sie die ökonomischen Machtstrukturen gefährdet sehen.

Wenn unsere Innenstädte veröden, weil die horrenden Grundstückspreise nur noch Banken, Kaufhäuser oder Versicherungen rentabel erscheinen lassen, dann muß entschieden werden, was wir bewahren wollen: die Urbanität der Stadt oder die Eigentumsverhältnisse, genauer: das Bodenrecht, das diese Urbanität zerstört.

Wenn der Konkurrenzdruck in unserem Erziehungswesen zunehmend Psychosen, Neurosen und psychogene Erkrankungen hervorbringt, stellt sich die Frage, ob die Gesundheit unserer Kinder oder ihre frühzeitige Einpassung in die Strukturen unserer Erfolgsgesellschaft Vorrang hat.

Wenn Preisschwankungen auf dem Weltmarkt Millionen zum Tod verurteilen, haben wir zu wählen zwischen dem Wert von Menschenleben und einer Struktur des Welthandels, bei der wir bisher – zugegeben – nicht schlecht gefahren sind.

Wenn ein Produktionsprozeß, der die Arbeit des einzelnen in immer kleinere Einheiten zerstückelt, den Arbeitenden körperlich und seelisch verkümmern läßt und schließlich krank macht, haben wir zu entscheiden, was uns wichtiger ist: eine Produktionsstruktur, von der – und dies meist fälschlicherweise – angenommen wird, sie erziele bei minimalen Kosten optimale Ergebnisse, oder die Verwirklichung von Anlagen, die schon immer den Menschen ausgezeichnet haben: Vielfalt an Fertigkeiten, Reichtum an Einfällen, Verbindung von Handarbeit und Reflexion über diese Arbeit, die Fähigkeit zu planen und zu entscheiden, zu irren und sich zu korrigieren.[17]

Wenn gesicherter Friede in Europa nur zu haben ist, wenn Grenzen nicht mehr in Frage gestellt werden, müssen wir entscheiden, ob der Wert des Friedens uns wichtiger ist als die verbale Aufrechterhaltung eines – wenn auch fiktiven – Nationalstaats von der Maas bis an die Memel.

Wenn, wie E. F. Schumacher sarkastisch feststellt, im entwickeltsten Land, in den USA, »nicht die Mondfahrt, sondern der Weg nach Hause, wenn es dunkel wird«[18] das eigentliche Wagnis ist, rufen die Strukturkonservativen nach immer mehr Polizei, während Wertkonservative fragen, ob diese Welle der Kriminalität nicht doch etwas mit den Machtstrukturen einer Gesellschaft zu tun hat, die den materiellen Erfolg zum Maßstab menschlichen Wertes erhebt und täglich die physische Gewalt in Wort und Bild glorifiziert.

Wenn Kirchenaustritte ein Ausmaß erreichen, das schon auf mittlere Sicht die Volkskirche gefährdet, werden Strukturkonservative bei jedem Schritt ängstlich nach links und rechts schielen, um keinesfalls Anlaß zu neuen Austritten zu bieten, während Wertkonservative es verständlich finden, daß Menschen, die seit langem nichts mit der Kirche im Sinn haben, ihr auch keine Steuer mehr entrichten. Sie werden fragen, wie die Botschaft, die der Kirche aufgetragen ist, so glaubwürdig ausgerichtet werden kann, daß sie in unserer Gesellschaft etwas bewirkt, auch auf die Gefahr hin, daß die Kirche neue Organisationsformen suchen muß.

Auch wenn wir zwischen dem Maßstab des Lebensstandards und der Lebensqualität zu wählen haben, geht es letztlich darum, ob wir Werte oder Strukturen bewahren wollen. Wer davon überzeugt ist, daß unser ökonomisches System die kommenden Jahre nur dann ohne Korrekturen übersteht, wenn das wirtschaftliche Wachstum wieder voll in Gang kommt, wird Wachstum zum obersten Ziel der Politik erheben. Wer fragt, *was* für die Menschen *welchen* Wert habe, wird versuchen, daraus soziale Indikatoren abzuleiten und daran die Nützlichkeit wirtschaftlichen Wachstums zu messen.

III

Die Unterscheidung zwischen Wert- und Strukturkonservatismus begegnet gelegentlich dem etwas vordergründigen Einwand, schließlich seien Werte und Strukturen immer aufeinander bezogen, in jede Struktur seien Werte eingegangen, wo Werte sich durchsetzten, schafften sie Strukturen. Die Frage ist nur, *wie* Werte und Strukturen aufeinander bezogen sind. Natürlich ist die Kirche auch des späten Mittelalters nicht denkbar ohne die Botschaft, aus der die Kirche entstand. Aber als die Reformatoren die Botschaft neu entdeckten, stellten sie fest, daß sie sich in den Strukturen dieser Kirche nicht mehr ausrichten ließ. Das »Zurück zur Bibel« führte zur Reformation.

Natürlich ist der sowjetische Kommunismus nicht denkbar ohne das Werk von Karl Marx. Aber als Tschechen und Slowaken den humanistischen Ansatz von Marx wieder entdeckten, mußten sie versuchen, sich aus den Machtstrukturen eines bürokratischen Staatskapitalismus zu befreien. Das »Zurück zum ursprünglichen Ansatz des Sozialismus« brachte Machtstrukturen in Gefahr, und der Sieg der Machtstrukturen bedeutete das Ende einer wertbezogenen Bewegung.

Natürlich sind die Organisationen und Apparate unseres Gesundheitswesens wertbezogene Strukturen. Natürlich ist da nichts entstanden, was nicht einen Bezug hatte zum kranken Menschen, der geheilt werden sollte. Die Frage ist nur, ob das alles nicht schon ein Eigenleben führt, das von mächtigen Interessenverbänden stärker bestimmt wird als von den Erfordernissen menschlicher Gesundheit. Und es macht durchaus einen Unterschied, ob man heute zuerst und vor allem menschliche Gesundheit fördern oder zuerst und vor allem die Strukturen unseres Gesundheitswesens erhalten will.

Wer immer auf alte Werte zurückkommen, sie neu verstehen, neu interpretieren, sich vom alten, neuen Wert anregen und bestimmen lassen will, stößt auf verkrustete Machtstrukturen. Und wo immer dann diese Machtstrukturen verteidigt werden – und sie werden immer verteidigt –, geht es letztlich nicht um die Erhaltung von Werten, sondern von Macht. Natürlich wird auch dieser Kampf ideologisch geführt. Was aber unsere Epoche kennzeichnet, ist die Tatsache, daß die Strukturkonservativen sich als ideologische Waffe dazu das Erbe des frühen Liberalismus, nicht das des europäischen Konservatismus ausgesucht haben. Erst auf diesem Hintergrund wird übrigens die Parole »Freiheit oder Sozialismus« ganz verständlich.

IV

Der Gegensatz zwischen Wertkonservativen und Strukturkonservativen, immer schon latent, wurde durch die Zäsur der siebziger Jahre zum politischen Sprengstoff. Wo dieser Gegensatz innerhalb des christlich-demokratischen Lagers ausgetragen wird, steht am Ende meist der Sieg der Strukturkonservativen, gelegentlich aber auch die Handlungsunfähigkeit.

Beim Streit um die Straffreiheit des Schwangerschaftsabbruchs ging es letztlich darum, was wir an Strukturen – etwa der Steuer-, Familien- oder Sozialgesetzgebung – zu verändern, was wir an Mitteln einzusetzen bereit sind, um werdendes Leben, das durch den Strafrichter nicht mehr geschützt werden kann, durch Beratung und Hilfe für Mutter und Familie zu schützen. Diese Frage ergab sich nahezu unabhängig von allen strafrechtlichen Regelungen. Wer werdendes Leben wirklich schützen will, muß dafür sorgen, daß weniger Frauen das Bedürfnis haben abzutreiben. Wer dies erreichen will, muß tiefer in die Strukturen unserer Gesellschaft eingreifen, als wir uns dies bisher klargemacht haben. Wären die Christdemokraten von einem Wertkonservatismus ausgegangen, so hätten sie seit langem die Frage so stellen müssen: Wodurch können wir werdendes Leben schützen? Sie haben es erst – und dann ohne Überzeugungskraft – getan, als andere das Strafrecht ändern wollten. Wer auf die Erhaltung von Strukturen – in diesem Fall sowohl der Gesellschaft als auch des Strafrechts – fixiert war, hatte zu dieser Diskussion nichts Konstruktives beizutragen. Daher meldete sich die Union nach jahrelangem Schweigen erst zu Wort, als anderswo die politischen Entscheidungen gefallen waren.

Konservative hätten sich längst von vielem herausgefordert fühlen müssen, was sich heute in unserem Gesundheitswesen abspielt. Der mechanistischen Vorstellung von Gesundheit und Krankheit, die diesem Gesundheitswesen zugrunde liegt, hätte längst von denen widersprochen werden müssen, die so gerne vom »christlichen Menschenbild« sprechen. Sie haben es nicht getan, weil sie damit an Strukturen und Interessen gerührt hätten – etwa der Ärztekammern oder der pharmazeutischen Industrie –, die sich mit ihren eigenen Interessen berührten. Im Streit um das Gesundheitswesen wird sich zeigen, ob der Wertkonservatismus gegen den Strukturkonservatismus eine Chance hat.

V

Nach der Zäsur bricht sich eine neue Einsicht Bahn: Machtstrukturen lassen sich häufig nur noch auf Kosten von Werten konservieren, die unsere Bürger erhalten wissen wollen: Natur, Landschaft, Urbanität, Gesundheit, menschliche Bindungen, Solidarität. Umgekehrt: Wer solche Werte bewahren will, kann nicht Machtstrukturen für tabu erklären, er muß Veränderungsbedürftiges rechtzeitig verändern. Wenn Mesarović und Pestel recht haben mit ihrer Feststellung – und damit stehen sie nicht allein –, wir stünden zum erstenmal in der Geschichte vor globalen Krisen, »die nur in globalen Katastrophen enden können, wenn man ihnen ihren Lauf läßt«, dann wird Strukturkonservatismus in Zukunft lebensgefährlich. Wo Fortschreibung des Bestehenden sogar das menschliche Leben selbst bedroht, finden sich ernüchterte Progressive und konsequente Wertkonservative.

Es ist das Elend der Progressiven, daß der alte Fortschrittsglaube ausstirbt oder abwandert, daß auf die Frage, was Fortschritt sei, erst mühsam eine Antwort erarbeitet werden muß. Aber wenn nachweisbar ist, daß menschenwürdiges Überleben rasche und tiefgreifende Veränderungen verlangt, dann sind die Progressiven neu gefordert, nicht ihr Glaube an den Fortschritt, wohl aber ihr Wille zum Fortschritt, ihre Zähigkeit, ihr Trotzdem.

Aber dann darf auch niemand, dem es um die Bewahrung von Werten geht, sich vor den Karren derer spannen lassen, die letztlich nur ihre Macht konservieren wollen. Gegen einen Strukturkonservatismus, der geistig von den Resten des altliberalen Erbes lebt, muß der Wertkonservatismus – im angelsächsischen Sinne des Wortes – revolutionär werden.

Die Wertkonservativen müssen lernen, daß Bewahrung von Werten Veränderung von Machtstrukturen unerläßlich macht. Die Progressiven müssen lernen, daß sie Machtstrukturen nur verändern können, wo sie sich auf Werte berufen können, die tief in der europäischen Tradition verwurzelt sind. Es lohnt sich auch, darüber nachzudenken, ob diese Werte nicht in der Tradition der Arbeiterbewegung denselben Stellenwert hatten und haben wie in den anderen Traditionen unseres Kontinents. Man kann nicht verdienten Mitgliedern dafür danken, daß sie fünfzig oder siebzig Jahre ihrer Partei oder ihrer Gewerkschaft die Treue gehalten haben, im übrigen aber den Begriff der Treue als altmodisches Vorurteil abtun. Man kann nicht die Opfer der Arbeiterbewegung ehren, ansonsten aber dem Begriff des Opfers scheu aus dem Wege gehen.

Der Progressive wird den Wertkonservativen gelegentlich auf die Mißbrauchbarkeit seiner Werte aufmerksam machen oder ihn auch zur Neuinterpretation von Werten auffordern, nicht aber zu deren Verleugnung.

Wer die geistig-politische Entwicklung von so unabhängigen Köpfen wie Georg Picht, Eberhard Stammler, Klaus Müller, Günter Altner oder auch Carl Friedrich von Weizsäcker verfolgt hat – und sie sind allesamt durch einen wachen Wertkonservatismus geprägt –, wird sich der Frage nicht entziehen können, ob in diesem Bereich heute nicht radikaler nachgedacht und ungeduldiger nach vorwärts gedrängt wird als bei manchen, die sich progressiv nennen.

Und wer zu verstehen versucht, was Jochen Steffen umtreibt, stößt auf Sätze wie diesen: »Wenn es eine Gefahr für jene Werte gibt, deren Praktizierung die Menschen menschlich macht, dann liegt sie einzig und allein daran, daß wir so weitermachen, wie wir wissen, daß wir so nicht weitermachen dürfen.«[19] Präziser ließe sich das Credo des Wertkonservativen heute nicht formulieren.

Der Katholik Carl Amery beschreibt denselben Sachverhalt, wenn er an den Satz des ersten großen Konservativen der europäischen Geschichte, des Engländers Edmund Burke (1729–1797), anknüpft, wonach Konservatismus »die Partnerschaft der Toten, der Lebenden und der Ungeborenen« sei. Dies, meint Amery, sei »die einzige, aber wesentliche Vorstellung, welche eine linke Verantwortung aus dem konservativen Sprach- und Gedankenschatz wird übernehmen müssen«.[20] Ob es die einzige Vorstellung ist, mag man bestreiten, daß es die entscheidende ist, nicht. Wertkonservatismus meint Werte, »deren Praktizierung die Menschen menschlich macht«. Und eben diese Werte sind bedroht, für die Ungeborenen noch mehr als für die Lebenden. Sie sind bedroht, wenn Machtverhältnisse die Fortschreibung des Bestehenden erzwingen. Oder wie Klaus Müller es formuliert: »Der Zwang zur Umgestaltung aller Lebensverhältnisse ist die Priorität des Überlebens selbst.«[21]

Was heute als Tendenzwende zum Konservativen von den einen – zu Unrecht – gefeiert, von den anderen – wohl auch zu Unrecht – beklagt wird, ist in seinem Kern wohl eher wertkonservativ. Ein behutsameres, weniger ausbeuterisches Verhältnis zur Natur, das Suchen nach einer »weicheren« Technologie, die Wiederentdeckung von Tugenden wie Sparsamkeit oder Bescheidenheit trägt wertkonservative Züge. Nur: Ist die Emanzipation von der Herrschaft einer Konsumideologie wirklich etwas grundsätzlich anderes als die Emanzipation von anderen Autoritäten, die sich nicht ausweisen können? Wenn junge Menschen den Wert dauerhafter Bindung an einen anderen Menschen entdecken oder auch der neutestamentlichen Botschaft mit einer ebenso kritischen wie unbefangenen Offenheit begegnen, wenn sie die Geborgenheit der solidarischen Gruppe suchen, so bedeutet dies in der Tat, daß Werte aus der Tradition an Gewicht gewinnen. Aber hat es in der europäischen Geschichte jemals eine Bewegung nach vorn gegeben, die sich nicht auf Werte der Tradition berufen hätte?

Tatsächlich ist diese Tendenz nicht allzu weit entfernt von der Strömung, die der erste sozialdemokratische Bundeskanzler 1972 für sich zu gewinnen wußte. Daß diese Strömung gegenwärtig zur Stärkung und Verhärtung von Machtstrukturen genutzt werden kann, hat viele Gründe. Sie beginnen bei der ökonomischen und publizistischen Macht, die diesen Vorgang fördert, und reichen bis zum Unvermögen der demokratischen Linken, sich Wertkonservativen gegenüber verständlich zu machen.

VI

Zur Tendenzwende gehört der Stellungswechsel der Technokratie. Technokratisches Denken, Planen, Programmieren empfand sich in den sechziger Jahren noch als progressiv: es mußte sich durchsetzen gegen Kräfte, die solches Planen und Programmieren für überflüssig hielten. Die Technokraten von heute spüren, daß nun der Sinn ihres Tuns von denen in Frage gestellt wird, die betriebsblindes Fortschreiben nicht mehr für sinnvoll halten, angeblichen Sachzwängen mißtrauen oder gar – analog zum Priestertum aller Gläubigen – das Expertentum aller Laien verkünden.

Alvin Toffler hat diesen Vorgang schon 1970 so beschrieben: Technokratische Planung stütze sich notwendig auf eine hierarchische Struktur. »Die Welt war in Manager und Arbeiter, in Planer und Verplante eingeteilt, und erstere trafen Entscheidungen für die letzteren. ... Mit der Ausbreitung des Verdachts, daß Befehle von oben nach unten nicht mehr praktikabel sind, beginnen die Verplanten, das Recht auf Beteiligung an Entscheidungsprozessen zu verlangen. Die Planer leisten jedoch Widerstand. Denn wie das bürokratische System, das es widerspiegelt, ist auch das technokratische Planen seinem Wesen nach undemokratisch.«[22] Jochen Steffen meint denselben Sachverhalt, wenn er überspitzt formuliert: »Der moderne Technofaschismus beruht auf der elitären Macht über Pläne und deren Durchführung.«[23]

Technokratisches Denken, ursprünglich vom Elan der Zukunftsbewältigung beflügelt, wird nun strukturkonservatives Denken. Technokraten, die sich noch in den sechziger Jahren der zukunftsoffenen Linken verbunden fühlten und ihrem Ärger über konservative Ängstlichkeit und Kurzsichtigkeit Luft machten, finden sich heute, von der jungen – zumindest teilweise wertkonservativen – Linken angegriffen, an der Seite der strukturkonservativen Rechten wieder. Damals wie heute fühlen sie sich nicht verstanden. Und da es ihnen schwerfällt, die Wertprämissen anderer für legitim zu halten – schließlich gehen sie »pragmatisch« von der »Realität« aus –, sind ihre Verdikte heute nicht weniger vernichtend als vor zehn Jahren.

Das klassische Beispiel für diesen Vorgang ist Karl Steinbuch. Nicht weil er sich in seinem Denken gewandelt hätte, ist er symptomatisch für den Stellungswechsel der Technokratie, sondern weil er geblieben ist, was er immer war, während die Welt um ihn herum nicht bleiben wollte, wie sie bleiben sollte. Seine Antwort auf die Frage der ›Welt‹, was Tendenzwende für ihn bedeute, ist die klassische Formulierung des strukturkonservativen Credos: »Die Unterwerfung unter Normen, welche die Existenz der menschlichen Kultur auch in der voraussehbar unruhigen Zukunft ermöglichen«, nämlich unter »Autorität, Staat und Recht«. Während der Wertkonservative fragt, welche Autorität, welcher Staat, welches Recht sich aus den für ihn gültigen Werten ergibt, klammert sich der Technokrat an die Strukturen, weil sie Strukturen sind.

VII

In einigen Jahren wird es als Kuriosität unserer Zeit gelten, daß just in dem geschichtlichen Moment prinzipieller Pragmatismus modern wurde, wo er am wenigsten den gesellschaftlichen Bedürfnissen entsprach; daß längerfristige Programmatik just in dem Augenblick in Verruf kam, wo sie absolut unentbehrlich wurde.

Ein Publizist, den man getrost unter die Strukturkonservativen zählen darf, hat diesen Vorgang als »pragmatische Gegenreformation« gefeiert und damit auch einen Hinweis darauf gegeben, daß es sich dabei doch um etwas mehr als eine Kuriosität handelt.

Alles Handeln, sofern es diesen Namen verdient, ist zweckgerichtet, zielgerichtet und also pragmatisch. Aber alles Handeln hat sich der Frage zu stellen, was denn seine Zwecke, seine Ziele seien. Und dabei kommen Wertungen ins Spiel, sei es bewußt oder unbewußt.

Pragmatisch wird auch derjenige handeln, der sich Rechenschaft ablegt über die Wertvorstellungen und ihre ideologischen

Prämissen, die sein Handeln bestimmen. Nur: Hinter prinzipiellem Pragmatismus verbirgt sich meist die gefährlichste aller Ideologien, die Ideologie von der eigenen Ideologielosigkeit. Sie verleiht auf der einen Seite Schlagkraft und Unbekümmertheit dessen, der sein Handeln als das von der Sache her einzig denkbare und richtige empfindet. Genauso klar ist: Prinzipieller Pragmatismus wird sich in den vorhandenen Strukturen bewegen, die vorhandenen Apparaturen so gut wie möglich in Gang halten. Hier trifft er sich mit der Technokratie. Beide wissen, daß Apparate empfindlich gegen Störungen sind, sie werden sie nicht in Frage stellen, sondern nach Kräften beschützen. Insofern haben die Strukturkonservativen guten Grund, vom Politiker lediglich prinzipiellen Pragmatismus zu verlangen. Was brauchen sie mehr? Aber wenn es je eine Zeit gab, in der wir uns diese Art von prinzipiellem Pragmatismus nicht leisten konnten, dann ist es die unsere. Sicher: Es ist mühsam genug, auch nur die Apparaturen am Laufen zu halten. Nur: Wer sich darauf beschränkt, wird eines Tages feststellen, daß auch die Apparaturen nicht mehr laufen.

Daran ändert auch die Notwendigkeit eines Krisenmanagements nichts. Krisen und ihre Bewältigung gehören nicht nur zum alltäglichen Geschäft des Politikers, sie nehmen von Jahr zu Jahr mehr von seiner Zeit und seiner Kraft in Anspruch. Gerade hier liegt es nahe, aus der Not eine Tugend zu machen: man tut, was nötig, opportun, möglich, machbar ist und findet dafür auch eine Rechtfertigung. Aber auch in der Krise zeigt sich, von welchen Werten wir bestimmt sind und welches Bild von Gesellschaft wir haben. Es gibt ein Krisenmanagement, das schlicht auf die Wiederherstellung des alten Zustands zielt. Und es gibt ein Krisenmanagement, das den Schock der Krise nutzt, um notwendige Veränderungen zu erzwingen.

Auch Krisenmanagement, so wichtig es ist, entbindet nicht von der Frage, worauf wir eigentlich hinauswollen. Und bei den meisten politischen Entscheidungen, ob es nun um Schule oder Gesundheit, Energie oder Rohstoffe, Technologie oder Verkehr, Investitionssteuerung oder Zölle geht, werden wir gefragt sein, ob wir Strukturen auf Kosten von Werten oder Werte auf Kosten von Strukturen bewahren wollen. Wer ersteres versucht, wird dem Sog des Reaktionären nicht lange entgehen. Wer letzteres will, wird sich bei den Progressiven wiederfinden.

4. Kapitel:
Maßstäbe

I

Schon als es noch schick war, sich progressiv zu nennen, wurde immer zweifelhafter, was Fortschritt sei.

Noch zu Beginn der siebziger Jahre gab es zumindest in einem wichtigen Punkt Übereinstimmung: Was immer sonst noch Fortschritt sein mochte, Erhöhung des Lebensstandards, Wachstum der Wirtschaft und des Pro-Kopf-Einkommens war es in jedem Fall.

Dies glaubten Liberale und Sozialisten, Strukturkonservative und Kommunisten, die einen inbrünstiger als die anderen, und dies seit Jahrzehnten.

Alle waren sie der Meinung, es werde sich eines Tages eine Fülle der Güter produzieren lassen, die Verteilungsprobleme gegenstandslos mache. Sie stritten darüber, ob man dazu die Produktivkräfte von den Fesseln der kapitalistischen Rechts- und Eigentumsordnung befreien müsse. Ob man es getan hat oder nicht, überall sind Produktivkräfte mit einer Dynamik gewachsen, gegen die wir immer hilfloser werden, schließlich so hilflos, daß viele sich achselzuckend in sogenannte Sachzwänge fügen, andere glauben, was hier wachse, sei der Krebs, an dem die Menschheit zugrunde gehen müsse.

Die Frage ist nicht mehr, ob Wachstum automatisch Fortschritt sei, sondern ob die technische und wirtschaftliche Entwicklung nicht längst unserer Kontrolle entglitten ist.

Das Bruttosozialprodukt wächst, wenn immer mehr Abfälle die Umwelt belasten. Und es wächst noch einmal, wenn wir Mittel einsetzen, um Umweltschäden zu beseitigen. Es wächst, wenn der Lärm in unseren Städten zunimmt. Und es wächst noch einmal, wenn wir Lärmschutzanlagen anbringen. Es wächst, wenn der Verbrauch von Medikamenten, Drogen und Alkohol zunimmt. Und es wächst noch einmal, wenn die durch Medikamente, Drogen oder Alkohol Geschädigten behandelt werden müssen.

Daß Wachstum nicht Fortschritt ist, wird heute nur von denen geleugnet, die es für systemgefährdend halten, daraus Folgerungen zu ziehen. Daß nicht alles gut für uns ist, was wir ökonomisch und technisch leisten können, ist schon zur Binsenweisheit geworden. Daß wir für erhöhte Produktion von Zigaretten, Pflanzenschutzmitteln, Medikamenten oder Kunststoffen einen Preis bezahlen müssen, ist inzwischen kaum mehr umstritten. Diskutiert wird, wo jeweils der Punkt erreicht ist, von dem ab wir mehr bezahlen, als wir dafür bekommen. Daß es diesen Punkt gibt, wird ernsthaft nicht mehr bezweifelt.

Was aber ist dann Fortschritt? Daß nur Forschritt sein kann, was dem Menschen, seiner Verwirklichung in der Gemeinschaft mit anderen dient, mag abgedroschen klingen, ganz so selbstverständlich ist es nicht. Haben wir nicht noch vor wenigen Jahren gehört, gemessen an dieser oder jener technischen Aufgabe, etwa der Raumfahrt, sei der Mensch eine Fehlkonstruktion, daher müsse man notfalls andere Menschensorten – mit Affengenen – züchten?

Zugegeben: Es wird nie volle Übereinstimmung darüber geben, wie der Mensch sich verwirklicht. Wir werden z. B. darüber streiten müssen, ob es primär um die Selbstverwirklichung eines autonomen Individuums geht oder um die Verwirklichung in der solidarischen Zuwendung zum Nächsten. Aber es gibt doch eine Unzahl von Feststellungen, die sich unabhängig davon treffen lassen: Daß vergiftete Nahrung dem Menschen weniger zuträglich ist als unverdorbene, daß ein Arbeitsplatz, der seinen Inhaber binnen weniger Jahre gesundheitlich ruiniert, durch die beste Bezahlung nicht zu rechtfertigen ist, daß eine Stadt durch großzügige Grünanlagen und Kinderspielplätze gewinnt, all dies ist unter ernsthaften Menschen nicht umstritten. Die Frage ist nur, mit wievielen – strukturkonservativen – Interessengruppen man es aufnehmen will, was man politisch in Kauf zu nehmen und zu wagen bereit ist, um unvergiftete Nahrung, gesunde Arbeitsplätze oder eine vernünftigere Stadtplanung durchzusetzen.

Der Versuch, die Chancen menschlicher Verwirklichung zum Maßstab für Fortschritt – und Rückschritt – zu machen, ist unter dem Stichwort »Lebensqualität« in die öffentliche Diskussion gekommen.[24] Es war der todkranke Otto Brenner, der für April 1972 jene internationale Tagung der IG Metall zu diesem Thema nach Oberhausen einberief, die einmal als ein Einschnitt in der politischen Diskussion unseres Landes gewertet werden wird. Sicher war es gefährlich, daß dieser Begriff sich allzu rasch durchgesetzt und – vor allem im Wahlkampf 1972 – auch vorzeitig abgenutzt hat. Aber inzwischen ist er bereits in die Rechtsprechung eingegangen.[25] Welche Anstrengungen auch immer unternommen wurden – und werden –, diesen Begriff zu zerreden – um die Aufgabe, neue Maßstäbe zu gewinnen, nachdem die alten offenkundig nicht mehr taugen, kommen wir nicht herum.[26]

II

Je ärmer Menschen sind, desto näher liegen Lebensqualität und Lebensstandard, Wohlbefinden und materieller Konsum zusammen. Lebensqualität bestand im Deutschland des Jahres 1945 in einem Stück Brot, wasserdichten Stiefeln, einem reparierten Dach über dem Kopf. Je reicher Menschen werden, desto deutlicher entfernt sich die aufsteigende Kurve des Lebensstandards von der rasch abflachenden Kurve der Lebensqualität. Im Deutschland der siebziger Jahre hängt Lebensqualität eher davon ab, ob die Arbeit Freude macht oder nur Langeweile und Rückenschmerzen, ob der Kontakt mit anderen Anerkennung oder Demütigung einbringt, ob der Schlaf durch Lärm und das Abendessen durch das Telefon gestört wird.

Wenn ein Arbeiter statt 1300 DM 1500 DM im Monat nach Hause trägt, kann er sich damit etwas leisten, was er sich schon lange gewünscht hat, was ihm oder seiner Familie Freude macht. Es erhöht sich also in der Regel seine Lebensqualität. Wenn ein Manager statt 30000 DM im Monat 40000 DM verdient, so hebt dies allenfalls sein Prestige, seine Einstufung unter seinesgleichen. Mit der Qualität seines Lebens hat dies ansonsten nichts zu tun.

Primitivste Voraussetzung für die Qualität eines Lebens ist die Erhaltung des Lebens. Ein zusätzliches Stück Brot oder eine Handvoll Reis bedeutet in dieser Zeit für viele Millionen Menschen den Unterschied zwischen Tod und Leben. Gleichzeitig bedeutet, wie die Ärzte uns sagen, das zusätzliche Schweineschnitzel für viele Menschen in unserem Land den Unterschied zwischen Gesundheit und Krankheit, manchmal zwischen Leben und Tod.

Alles, was – im Bereich der Ernährung – auf dem Wege liegt zwischen dem Verhungern und einer ausreichenden und schmackhaften Ernährung, verbessert die Qualität eines Lebens. Was darüber liegt, erhöht zwar den Lebensstandard, mindert oder zerstört aber die Gesundheit und damit die Basis der Lebensqualität. Auch hier trennen sich die beiden Kurven von Lebensstandard und Lebensqualität, nur mit dem Unterschied, daß sich die Kurve der Lebensqualität nicht nur abflacht, sondern nach unten geht. Der Lebensstandard erhöht sich durch jede Art von Konsum, die Lebensqualität nicht.

Was für den einzelnen gilt, läßt sich auch für ganze Gesellschaften zeigen: Erhöhung der landwirtschaftlichen Produktion in Indien bewirkt gleichzeitig Erhöhung von Lebensstandard und Lebensqualität. Erhöhung der Schlafmittelproduktion bei uns ist ein Zeichen – und gelegentlich auch die Ursache – für eine Reduzierung der Lebensqualität.

Hier soll nicht noch einmal dargestellt werden, wie willkürlich unsere Definition des Lebensstandards ist, welche Skurrilitäten die Statistik enthält. Später wird man auch den übersteigerten Individualismus unserer Gesellschaft an diesen Statistiken ablesen können. Wer hat schon zu errechnen versucht, inwieweit der Konsum des einen die Belästigung des anderen ist? Die Zigarette des einen ist doch der Kopfschmerz des anderen, das Auto des einen die Atemnot des anderen, der Motormäher des einen die Nervensäge des anderen. Schon weil dem so ist, können Lebensstandard und Lebensqualität nicht parallel laufen. Und sie tun dies um so weniger, je höher der Konsum ist.

Daß es ein Ausmaß des Konsums geben kann, an dem Gesellschaften zugrunde gehen können, haben uns die Studien des Klubs von Rom gezeigt. Und wenn auch keine einzige Zahl dabei exakt wäre, dies scheinen sie schlüssig bewiesen zu haben: Steigende Wachstumskurven können nicht nur dazu führen, daß die Schere zwischen Lebensstandard und Lebensqualität sich öffnet. Sie können die Erhaltung des Lebens selbst gefährden, weil die Lebensgrundlagen erschöpft oder zerstört werden.

Man hat bisher unter dem Thema Lebensqualität vor allem diskutiert, was ein Leben reicher, erfüllter oder menschlicher macht. Aber der Begriff zielt mindestens ebenso auf das, was Leben erhält, biologisches Leben, Überleben ermöglicht.

Diese scheinbar simple Feststellung hat brisante praktische Konsequenzen. Wenn rasches Wachstum des Konsums in Südasien oder Schwarzafrika, richtig verteilt, Leben erhält, rasches Wachstum des Konsums in Westeuropa unsere Lebensgrundlage gefährdet, wenn das erste die Lebensqualität enorm, das zweite im günstigsten Fall marginal erhöht, dann müßte sich daraus ablesen lassen, wo in den nächsten Jahren der Konsum deutlich steigen und was dafür getan werden muß. Wenn Lebensqualität in unserer Gesellschaft nicht davon abhängt, ob jemand im Jahr 200000 oder 300000 DM, wohl aber davon, ob jemand 15000 oder 20000 DM jährlich verdient, dann muß das Auswirkungen auf Einkommens- und Steuerpolitik haben.

Auch wenn es richtig ist, daß in Entwicklungsländern Befriedigung der Grundbedürfnisse sich immer auch in Wachstum niederschlägt, ist Wachstum für diese Länder als Maßstab ihres Fortschritts nicht besser geeignet als für uns.

Wo Wachstum zur politischen Priorität erhoben wird, führt es meist zu rascher, kapitalintensiver Industrialisierung in einem oder mehreren Ballungszentren, die nicht ins Land hinein ausstrahlen, da sie genug zu tun haben, ihre eigene Infrastruktur aufzubauen und mit ihren krebsartig wuchernden Slums fertigzuwerden. Die unterbeschäftigten oder arbeitslosen Massen in den vernachlässigten ländlichen Gebieten und in den Slums der Ballungszentren werden von diesem Wachstum nur insofern berührt, als sie einen Wohlstand demonstriert bekommen, der für sie unerreichbar bleibt.

Das Starren auf Wachstumszahlen führt in den meisten Entwicklungsländern zu völliger Frustration. Die Pakistani oder Burmesen haben wenig Lust, sich mit A. P. Thirwall darüber zu streiten, in welchem Jahrhundert des vierten (!) Jahrtausends ihr Land durch Wachstum Westeuropa »eingeholt« haben wird, zumal ein solches Einholen die Ressourcen der Erde total überfordern müßte.[27] Was auf dieser Erde geschähe, wollten auch nur die heutigen Bewohner Südasiens so viel an fossiler Energie verbrauchen und an Abfall produzieren wie der Durchschnittsamerikaner, ist nicht auszudenken.

Der Abstand zwischen den Industrieländern und den meisten Entwicklungsländern, legt man Wachstumszahlen zugrunde, hat sich in den letzten Jahren rasch erweitert. Wenn die Menschen im Süden der Erde nicht resignieren sollen, müssen sie Maßstäbe finden, mit denen sie ihre Lebensqualität selbst bestimmen. Dies werden nicht unsere Maßstäbe für Lebensqualität sein, aber sie werden den unseren näher sein als dem Maßstab des Lebensstandards. Schon 1975 wird in den Vereinten Nationen der Fortschritt der Entwicklungsländer nicht mehr allein an Wachstumszahlen gemessen.

III

Die meisten unserer nachdenklichen Mitbürger haben das blinde Vertrauen in den technischen Fortschritt verloren. Sie fühlen sich eher als hilflose Objekte eines technischen Prozesses. Schon die Definition von Technik als der produktiven Beherrschung und Verwertung der Natur durch den Menschen stößt auf Widerstand, denn die Umweltdiskussion hat gezeigt, daß wir die Natur in einer Weise beherrschen, die ein antiker Sklavenhalter für unrationell gehalten hätte, denn er hat seine Sklaven wenigstens so ausgebeutet, daß sie dabei gesund und arbeitsfähig blieben, während wir jahrzehntelang ökologische Kreisläufe durcheinandergebracht und zerstört haben, als könnten wir notfalls auch ohne natürliche Lebensgrundlagen auskommen.

Am radikalsten formuliert die Kritik an unserer Technik in den letzten Jahren Ivan Illich.[28] Nach Illich ist das, was als Werkzeug gemeint war, dem Menschen längst aus der Kontrolle geraten. Er bezweifelt, daß wir den Wettlauf mit unseren Geschöpfen jemals gewinnen könnten, zumal immer komplexere Systeme solange weiterwuchern müßten, bis sie eines Tages zusammenbrechen. Überall gibt es Grenzen, die zu überschreiten dem Menschen abträglich ist, Grenzen der Geschwindigkeit, des Energieverbrauchs, der medizinischen Technik oder auch der Organisation von Bildung. Was Illich Re-tooling nennt, wäre der Versuch, das Verhältnis des Menschen zu seinen Werkzeugen völlig neu zu bestimmen, die Freiheit des Menschen gegenüber seinen Werkzeugen wiederherzustellen. Dabei geht es Illich wohl nicht um ein primitives »Zurück zur Natur«, wohl aber um ein Zurück – oder nach vorn? – zu einer dem Menschen gemäßeren Technik.

Bei allem Verständnis für diesen Ansatz, auch für die Skepsis gegenüber dem Versuch, mit technischen Remeduren ins Lot zu bringen, was die technische Entwicklung an Gefahren birgt, bleibt die Frage an den Politiker, ob er warten kann, bis die einzelnen technischen Systeme – und schließlich das technische Gesamtsystem – zusammenbrechen. Es könnte durchaus sein, daß wir dann nicht in einer humaneren Gesellschaft, sondern in einer faschistischen Diktatur landen, in der überforderte und verängstigte Bürger, von mächtigen Interessen manipuliert, Schutz suchen.

Politisch bietet sich etwas anderes an: Wenn Lebensqualität mit den realen Alternativen, mit realisierter Freiheit wächst, dann bedeutet dies unter anderem auch, daß alternative Technologien zu fördern sind, nicht, weil Regierung oder Parlament alleine zu entscheiden hätten, welches *die* »richtige« Technologie sei, sondern weil Alternativen das Gewohnte herausfordern, zur

Rechtfertigung zwingen, korrigieren können; vor allem aber, weil sie den realen Freiheitsspielraum des Bürgers erweitern.

Auch wenn es nicht möglich sein dürfte, die wachsende Erdbevölkerung ohne große Mengen von Kunstdünger zu ernähren, ist es wünschenswert, daß eine ganz andere Art von Landwirtschaft, die sich auf biologisch-dynamische Methoden stützt, an Boden gewinnt.

Auch wenn niemand die gängige Schulmedizin abschaffen will, wird es gut sein, sie immer stärker mit Alternativen zu konfrontieren. Das mag die traditionelle Homöopathie sein, aber auch die alte chinesische Medizin, die in ihrem Ursprungsland übrigens auch mit der westlichen Schulmedizin zu konkurrieren hat.

Niemand will und kann die industrielle Massenfertigung abschaffen. Trotzdem ist es gut, wenn Qualität und Geschmack der Massenproduktion immer wieder durch handwerkliche Fertigung angeregt und korrigiert werden.

Niemand wird in der Lage sein, dem Auto oder dem Schienenverkehr ihre Position streitig zu machen. Trotzdem sollten wir denen, die lieber zu Fuß gehen oder sich mit dem Fahrrad fortbewegen, die Chance geben, dies zu tun, ohne dabei alle Nachteile des Autoverkehrs ohne seine Vorteile zu genießen.

Niemand wird sich ein Leben ohne Großstädte vorstellen oder wünschen können. Trotzdem müssen wir alles tun, auf dem flachen Land Gemeinden zu entwickeln, die auf ihre Art mit der Attraktivität der Großstädte konkurrieren können.

Niemand kann sich eine Industriegesellschaft – oder auch eine nachindustrielle – vorstellen ohne funktionierende zentrale Energieversorgung. Aber warum sollen wir nicht den Versuch fördern, auf eine sehr einfache Weise Sonnenenergie für Heizung und Warmwasserbereitung zu nutzen?

IV

Es ist unbestritten, daß die Lebensqualität des einzelnen sich politischem Handeln entzieht und entziehen muß. Ob der einzelne am Sonntag skatspielen oder radfahren geht, ob es ihm im Wirtshaus, in der Kirche, im Konzertsaal, im Kegelklub oder auf dem Fußballplatz wohler ist, kann nur er selbst entscheiden. Er kann nicht einmal daran gehindert werden, das Dreifache der zuträglichen Fettmenge zu essen oder fünf Päckchen Zigaretten am Tag zu rauchen, soweit er den Rauch nicht anderen in die

Nase bläst. Keine Regierung und kein Gesetz kann dem einzelnen verbieten, seine Gesundheit zu ruinieren. Aber der Staat muß all denen optimale Angebote machen, die dies nicht im Sinn haben.

Kurz: Politisches Handeln zielt auf die Qualität der Lebensbedingungen, nicht auf die Qualität des einzelnen Lebens[29]. Es vernebelt die wirklichen Fragestellungen, wenn der Eindruck erweckt wird, hier sollten den Menschen ihre Lebenschancen verabreicht, zugeteilt werden. Es geht darum, daß sie mit ihrer Freiheit etwas anfangen können, daß die formale Freiheit der Entscheidung zu einer realen Freiheit der Wahl zwischen verschiedenen Möglichkeiten humaner Verwirklichung wird.

Auch die Qualität der Lebensbedingungen läßt sich messen, wenn auch nicht so exakt wie jener Teil der Lebensbedingungen, den man Lebensstandard nennt[30]. Daß Lebensbedingungen um so günstiger sind, je geringer der Schwefeldioxydgehalt der Luft, je geringer die Phonzahl des zu ertragenden Lärms, je größer die Chance ist, in wenigen Minuten ein Naherholungsgebiet zu erreichen, dies alles ist nicht umstritten.

Es ist auch nicht umstritten, daß die Sicherheit und Qualität des Arbeitsplatzes, die Sicherheit vor Verbrechen, die Chance, auf einem klar definierten Rechtsweg in einem erträglichen Zeitraum sein Recht zu finden, ausreichende Versorgung im Alter oder bei Arbeitslosigkeit die Qualität der Lebensbedingungen ebenso bestimmt wie die Freiheit der Meinungsäußerung oder der Religionsausübung.

Gelegentlich sehr ernsthaft vorgebrachte Fragen wie die, ob eine hohe Scheidungsquote ein positiver oder ein negativer Indikator sei, sind ohne Belang. Wenn wir uns darüber nicht einigen können, lassen wir es getrost bleiben und konzentrieren uns auf andere Indikatoren. Im übrigen kommt es gar nicht darauf an, wieviele Ehen geschieden werden, sondern welche Chancen es gibt, heilbare Ehen zu erhalten und unheilbare zu scheiden.

Anders gesagt: Die meisten Indikatoren (Kennziffern) für Lebensqualität sind unstrittig. Strittig mag sein, wie sie im Verhältnis zueinander zu gewichten sind und ob es einen Generalnenner für die Qualität der Lebensbedingungen geben kann.[31] Auch darüber lohnt kein Streit, denn die einzelnen Indikatoren reichen meist völlig aus für politische Entscheidungen. Und wo die Wissenschaftler sich nicht einig sind, müssen die Politiker Farbe bekennen: welche der denkbaren Wertungen die ihre ist, welche Prioritäten sie setzen.

Als Alvin Toffler bereits 1970 nach Methoden suchte, die den von ihm erwarteten »Zukunftsschock« mildern könnten, kam er zu dem Ergebnis: »Man geht einfach davon aus, daß höheres Einkommen und größerer Wohlstand mehr Alternativen mit sich bringt, und mehr Alternativen wiederum mehr Freiheit bedeuten. Ist es nicht Zeit, diese Grundvoraussetzung unseres politischen Systems zu überprüfen? ... Ein empfindliches System von Indikatoren, ausgerichtet auf die Verwirklichung sozialer und kultureller Ziele und integriert mit wirtschaftlichen Indikatoren, ist Teil der technischen Ausrüstung, deren eine Gesellschaft bedarf, bevor sie in das nächste Stadium wirtschaftlich-technischer Entwicklung eintreten kann.«[32]

Man mag bestreiten, daß Wachstum zu den Voraussetzungen unseres ökonomischen oder gar politischen Systems gehört, zumal unsere Wirtschaftswissenschaft sich bis zum Zweiten Weltkrieg viel mit »Gleichgewicht« und Stabilisierung der Konjunktur, fast gar nicht mit Wachstumsraten beschäftigte; daß Strukturkonservative einen Zusammenhang zwischen Wachstum und ökonomischer Macht sehen, zeigt die Polemik gegen jeden Versuch, vernünftigere Maßstäbe zu suchen.

V

Der Maßstab Lebensqualität wurde nötig, weil der Maßstab Lebensstandard nicht mehr annähernd auszusagen vermag, wie es Menschen geht. Heute wäre hinzuzufügen: In einer Zeit, wo – was immer wir davon halten – Wachstum, wenn überhaupt, nur noch sehr stockend stattfinden kann, endet das Starren auf Wachstumszahlen auch bei uns in Frustration.

Gerade jetzt verlangt Politik, wenn sie progressiv sein will, einen neuen Maßstab. Denn so sicher es ist, daß Wachstum in unseren Breiten nicht mehr automatisch mehr Lebensqualität bedeuten muß, so sicher ist auch, daß Sicherung und Verbesserung der Lebensbedingungen keineswegs nur bei stolzen Wachstumszahlen möglich ist. Wenn es uns nicht gelingt, Ziele zu setzen, die notfalls auch ohne Wachstum erreichbar sind, wird die Krise der Hoffnung zur Dauerkrise, wird progressive Politik unmöglich.

Die tiefste Schwäche der Strukturkonservativen in den letzten Jahren bestand darin, daß sie nicht mehr klarmachen konnten, was sie – abgesehen von ihrer Macht – bewahren wollten. Nicht auszudenken, wo die Progressiven landen werden, wenn sie nicht mehr wissen, was Fortschritt ist. Noch schlimmer, wenn sie gar nicht wissen, daß sie es nicht wissen, oder gar meinen, sie brauchten es nicht zu wissen. Der politischen Rechten wird man es immer wieder nachsehen, wenn sie mit der Stange im Nebel herumfuchtelt und dabei Sachschaden anrichtet, der Linken nicht. Eine progressive Partei darf und muß sich darum streiten, was der Maßstab für Fortschritt und Rückschritt sei, und sie wird dabei immer wertkonservativer sein, als sie es sich eingesteht. Gibt sie es auf, nach einem solchen Maßstab zu suchen und ihn in der Diskussion zu präzisieren, gibt sie sich selbst auf.

Da verfängt auch nicht der Einwand, es gebe noch keine allgemein anerkannte wissenschaftliche Definition des Begriffs Lebensqualität. Wollten wir alle Begriffe aus dem politischen Sprachgebrauch eliminieren, für die es keine allgemeingültige wissenschaftliche Definition gibt, so gliche der politische Betrieb bald einem Trappistenkloster. Wichtig ist, ob ein Maßstab, ein Begriff anwendbar, in politische Prioritätsentscheidungen umsetzbar ist. Wäre der Begriff der Lebensqualität dies nicht, welchen Anlaß hätten dann die strukturkonservativen Vertreter mächtiger Interessen, dagegen zu polemisieren? Ihnen geht es nicht um Philologie, sondern um Macht. Sie wissen sehr gut: Es ist ein Unterschied, ob man Politik konzipiert unter der Fragestellung, wie wirtschaftliches Wachstum um nahezu jeden Preis erreicht werden kann, oder ob man Lebensqualität erhalten, wiederherstellen oder verbessern will und deshalb fragt, was dies an wirtschaftlichem Wachstum nötig mache, wo dieses Wachstum stattfinden und wie es aussehen müsse.

Um Mißverständnisse auszuschließen: Politik, die sich an Indikatoren für Lebensqualität orientiert – und deren stellt die Wissenschaft inzwischen immer mehr zur Verfügung –, zielt nicht auf Nullwachstum. Wenn es wahr ist, daß die Wachstumsstatistik die vernünftigsten und die widersinnigsten Zuwächse addiert – von zusätzlichen Einrichtungen und Dienstleistungen zur Gesundheitsvorsorge bis zu wachsender Produktion von Giften –, dann ist die Forderung nach Nullwachstum nicht überzeugender als die Forderung nach maximalem Wachstum. Abgesehen davon, daß wir Wachstum im bisher üblichem Umfang ohnehin nicht mehr haben dürften, ist die wirkliche Frage, ob wir Wachstum anstreben wollen, um nachher überrascht festzustellen, was dies – positiv wie negativ – für unsere Lebensqualität austrägt, oder ob wir Lebensqualität wollen und von daher entscheiden, welche Art von Wachstum – oder Nichtwachstum – wir dazu brauchen. Wachstumsdenken wird nicht dadurch konstruktiver, daß man es mit einem negativen Vorzeichen versieht. Wachstum muß zur Variablen von Lebensqualität werden, wie bisher unsere Lebensqualität im Guten wie im Bösen die Variable des Wachstums war.[33]

Es gibt ernsthafte Wissenschaftler, die nachzuweisen versuchen, daß der Höhepunkt der Lebensqualität in Industrieländern längst hinter uns liege. Wer durch die Straßen von New York geht und sich von den verhärmten und verkrampften Gesichtern der Menschen deprimieren läßt, möchte es glauben. Auf keinen Fall wird es eine automatische Verbesserung der Lebensqualität geben. Wir werden uns Mühe geben müssen, die Bedingungen der Lebensqualität im einen Bereich zu verbessern und dadurch ihre Minderung im anderen so wettzumachen, daß am Ende ein kleines Plus bleibt. Und dies werden wir dann Fortschritt nennen. Wer naiv an den Fortschritt glaubt, kann nur allzu leicht im Rückschritt enden. Gefragt ist eine Politik, die Fortschritt will, obwohl er alles andere als selbstverständlich ist.

5. Kapitel:
Grundwerte

I

Häufig wird eingewandt, jede Aussage über Lebensqualität setze ein Menschenbild voraus. Dies stimmt für Grenzbereiche. Wo es ums Überleben geht, kommt man vom buddhistischen Menschenbild aus zu ähnlichen Konsequenzen wie vom katholischen oder leninistischen. Wo es um Mitbestimmung oder Demokratisierung geht, kommen eher Grundwerte als Menschenbilder ins Spiel. Eine demokratische Partei in einer pluralistisch verfaßten Gesellschaft kann und darf kein verbindliches Menschenbild haben. Welches Bild der einzelne vom Menschen hat, wurzelt in einem Bereich, der Parteitagsbeschlüssen entzogen bleiben muß.

Tatsächlich gibt es keine demokratische Partei mit verbindlichem Menschenbild. Auch die Christlich-Demokratische Union hat keines und kann keines haben, schon einfach deshalb, weil das Menschenbild der katholischen Naturrechtslehre anders beschaffen ist als das Luthers oder Calvins. (Der Versuch Kurt Biedenkopfs, der Union ein »christliches« Menschenbild zuzulegen und den erstaunten Sozialdemokraten die Vogelscheuche eines ihnen bislang verborgen gebliebenen »sozialistischen« Menschenbildes zuzuteilen, spielt sich weit unter dem Niveau dieses klugen Mannes ab.)[34]

Keine demokratische Partei kann sich darauf einigen, ob Goethe, Marx, Luther oder Thomas von Aquin Fähigkeiten und Abgründe des Menschen richtig eingeschätzt, ob Freud, Adler oder Jung die Realität des Menschen am präzisesten getroffen haben.

Aber eine Partei kann und muß sich einigen auf Grundwerte, an denen sie ihr Handeln messen und von anderen gemessen sehen will. Und natürlich läßt sich Lebensqualität nicht beschreiben ohne Rückgriff auf Grundwerte.

Dabei kommt es nicht nur darauf an, zu welchen Grundwerten man sich bekennt. Bekenntnisse zur Freiheit, Gerechtigkeit und Solidarität sind heute handelsüblich und kosten auch nicht viel. Entscheidend ist die Interpretation, noch wichtiger die gegenseitige Zuordnung der Grundwerte, ihr Verhältnis zueinander. Ob man Freiheit und Gerechtigkeit als Gegensätze sieht, von denen eines nur auf Kosten des anderen zu haben sei, oder als Zielsetzungen, die einander stützen, macht heute den Unterschied zwischen rechts und links aus.

II

Im Godesberger Programm steht der lapidare Satz: »Freiheit und Gerechtigkeit bedingen einander.«

Die Gegenthese lautet, es gebe doch wohl auch Freiheit ohne Gerechtigkeit. Man müsse die Freiheit des Starken einschränken, wenn man auch nur ein Mindestmaß an Gerechtigkeit für den Schwachen durchsetzen wolle. Der frühe Kapitalismus sei ein Zeitalter zunehmender Freiheit bei rapide wachsender Ungerechtigkeit gewesen. Und sei nicht auch Gerechtigkeit ohne Freiheit denkbar? Die Lebenschancen im China Maos seien doch wohl etwas gerechter verteilt als früher, während von Freiheit in unserem Sinne wenig zu sehen sei.

Diese Einwände, so einleuchtend sie sein mögen, haben allenfalls den Wert von Grenzmarken. Die Grenzmarken auf der anderen Seite sind nicht weniger eindeutig: Es gibt ein Maß an sozialer Ungerechtigkeit, das sich nur durch Unfreiheit aufrecht-erhalten läßt. Auf diesen Nenner läßt sich vieles bringen, was sich in den letzten Jahrzehnten in Lateinamerika abgespielt hat. Und umgekehrt: Es gibt ein Maß an Unfreiheit, das jedes Recht zerstört. Es mag Recht, rechtsstaatliche Prozedur, ja sogar einen formal einwandfreien Rechtsstaat geben, gepaart mit massiver Ungerechtigkeit – Beispiel wäre das Preußen des 19. Jahrhunderts –, es mag also Recht geben ohne Gerechtigkeit, aber es gibt umgekehrt keine Gerechtigkeit ohne Recht, ohne rechtsstaatliche Prozedur. Wo aus Mangel an Freiheit solche rechtsstaatliche Prozedur nicht mehr eingeklagt und erzwungen werden kann, ist Gerechtigkeit in ihrem Kern getroffen. Insofern hat Stalin mit der Freiheit das Recht und mit dem Recht die Chance der Gerechtigkeit zerstört.

Politisch wird darüber entschieden, ob wir frei reden, schreiben, lesen, reisen, unseren Arzt, unsere Information, unsere Hobbies, unser Verkehrsmittel, unseren Beruf, unseren Arbeitsplatz, unseren Verein, unsere Gewerkschaft, unsere Partei frei wählen können. Politisch realisierbare Freiheit ist also primär freie Wahl zwischen Alternativen, seien es Heilmethoden, Bildungsangebote oder Religionsgemeinschaften. Politisch relevante Freiheit zielt also auf Selbstverwirklichung in der Gemeinschaft, meist durch bewußte Entscheidung für die dem einzelnen oder der Gruppe gemäße Alternative. Verwirklichung des Humanen geschieht nicht durch formal verbürgte Freiheiten. Sie ist nur möglich, wo Alternativen, Wahlmöglichkeiten praktisch bestehen.

Wenn ein Junge Hilfsarbeiter werden muß, weil die Eltern den Lohn des Fünfzehnjährigen nicht entbehren können, so hilft ihm die verbürgte Freiheit der Berufswahl wenig. Manches Kind, das in einer entlegenen Gegend aufwächst, kann faktisch eben nicht zwischen verschiedenen Bildungsangeboten wählen. An einem Ort, wo es weder einen Sportverein noch einen Jugendklub, kein Schwimmbad und keine Diskothek gibt, ist am Abend oder am Wochenende die freie Auswahl eng begrenzt. Und schließlich gibt es auf diesem Erdball immer noch eine gute Milliarde Menschen, deren Freiheit sich immer wieder auf die Freiheit zu verhungern reduziert.

Freiheit von Hunger, von Angst um die nackte Existenz, von Furcht vor Alter oder Arbeitslosigkeit, Freiheit von Bevormundung sind simple Voraussetzungen für jede Selbstverwirklichung in Freiheit und durch Freiheit.

Freiheit von etwas ist das notwendige Vorspiel zur Freiheit zu etwas. Emanzipation liegt auf dem Weg zur Freiheit, sie ist kein Ersatz dafür und erst recht nicht die Freiheit selbst.

III

Wo Freiheit als Chance zu freier und solidarischer Selbstverwirklichung verstanden wird, geraten wir schon in die Nähe der Gerechtigkeit. Wir wissen nicht, was absolute Gerechtigkeit ist. Und das ist möglicherweise gut so. Aber wir wissen im Einzelfall sehr wohl, was ungerecht ist.

So verschieden die Vorstellungen von Gerechtigkeit sein mögen, Ungerechtigkeit wird immer da empfunden, wo einem Menschen oder einer Gruppe von Menschen die Chance verweigert wird, sich zu verwirklichen, sei es, daß ihnen die Befriedigung ihrer Grundbedürfnisse verweigert, sei es, daß ihr Entfaltungsraum auf andere Weise unangemessen eingeengt wird. Sicher wird Ungerechtigkeit – schon bei Kindern, die bekanntlich einen besonders ausgebildeten Sinn dafür haben – gewöhnlich beim Vergleich mit anderen, Privilegierten, empfunden. Insofern tendiert Gerechtigkeit immer zur Gleichheit. Aber die angemessene Entfaltungschance wird letzlich niemals auch nur für zwei Menschen dieselbe sein. Einem geistig behinderten Kind hilft das abstrakte Recht zum Universitätsstudium wenig, aber es hat Anspruch darauf, so weit gefördert zu werden, wie seine Behinderung dies zuläßt. Ein Kind, das eine unbändige Lust zum Basteln, zum Erkunden technischer Zusammenhänge hat, wird eine andere Chance der Verwirklichung bekommen müssen, als die Schwester, die – in demselben Milieu aufwachsend – schon früh über Bedeutung und Herkunft von Wörtern nachzudenken beginnt, oder der Bruder, der sich nur wohlfühlt, wenn er mit Tieren umgehen kann.

Der Wille zur absoluten Gleichheit ist eine ideologische Vogelscheuche, die immer wieder einmal zur Warnung aufgestellt wird, wenn es um die Privilegien weniger geht. Absolute Gleichheit gäbe es – glücklicherweise – auch dann nicht, wenn wir sie wollten. Aber es gibt die gleichwertige Chance humaner Verwirklichung. In ihr treffen sich Gerechtigkeit und Freiheit.

Wenn Freiheit und Gerechtigkeit auf humane Verwirklichung zielen, so wird der Satz des Godesberger Programms verständlich. Daß Freiheit und Gerechtigkeit einander bedingen, ist letztlich das entscheidende Credo des demokratischen Sozialismus, und zwar seit seinen ersten Tagen. Gerechtigkeit bedeutet erlebbare, praktizierbare Freiheit für alle.

Die Männer des Allgemeinen Deutschen Arbeitervereins haben sich von der großen liberalen Volkspartei ihrer Tage nicht getrennt, weil sie etwas einzuwenden gehabt hätten gegen die Forderungen der Liberalen; sie haben sich getrennt, weil sie mit der Freiheit, die liberale Bürger meinten, nicht allzu viel anfangen konnten.[35]

Solange der Arbeiter als Wirtschaftsuntertan jeder Laune seines Arbeitgebers ausgeliefert war, halfen ihm neue Rechte als Staatsbürger nur wenig. Der Trost, er könne seine Arbeitskraft ebenso dem Meistbietenden verkaufen wie der Unternehmer seine Ware, half ihm wenig, solange er keine drei Wochen nach neuer Arbeit suchen konnte, ohne daß seine Kinder hungerten. Die Arbeiterbewegung wollte aus formalen Freiheitsrechten nutzbare, erlebbare, das Leben aller bestimmende Freiheit machen.

Zu Beginn unseres Jahrhunderts hat Friedrich Naumann seinen liberalen Freunden vorgerechnet, die Sozialisten wollten nichts anderes als die liberal-demokratischen Prinzipien, die der liberale Bürger auf den Staat beschränkt wissen wolle, auf alle Herrschaftsverhältnisse der Gesellschaft anwenden, insbesondere auf jede Art von Großbetrieb. Für ihn war praktischer, konsequenter Liberalismus dasselbe wie Sozialismus.[36] Konkret: Wenn die Betriebsrenten unverfallbar werden, so ist dies ein Stück mehr sozialer Gerechtigkeit, aber gleichzeitig ein Stück mehr realer Freiheit, denn nun kann der Arbeitnehmer den Betrieb wechseln, ohne dabei auf seine Rente verzichten zu müssen.

Wenn die Lohnzahlung im Konkursfall gesichert wird, dann, damit der Arbeitnehmer, wenn sein Betrieb in Konkurs geht, Zeit, Ruhe und damit die Freiheit hat, sich eine andere ihm gemäße Arbeit zu suchen. Die flexible Altersgrenze bedeutet nicht nur mehr soziale Sicherheit, sondern einen neuen Freiheitsraum, in dem der einzelne entscheiden kann, wann er aus dem Arbeitsleben ausscheiden will.

Das neue Kindergeld ist ein Schritt zur Gerechtigkeit. Aber es ist auch ein Stück mehr Freiheit. Der Autor hat schon in der Steuerreformkommission und später im Kabinett dafür gefochten, daß für das dritte und alle weiteren Kinder ein wesentlich höheres Kindergeld bezahlt werden soll. Nicht, weil er etwas von Bevölkerungspolitik hielte; wohl aber, weil er – auch im Blick auf die Diskussion um den Paragraphen 218 – den Freiheitsraum der Familie, vor allem der Frau, erweitert wissen wollte, die Chance, ohne übermäßige finanzielle Sorgen zu jedem Kind ja zu sagen.

IV

Im Schnittpunkt zwischen Freiheit und Gerechtigkeit liegt, was mit Demokratisierung gemeint ist. Ist es nur gerechter, wenn das Betriebsverfassungsgesetz dem einzelnen Arbeitnehmer und seinen Vertretern im Betriebsrat mehr Rechte der Mitwirkung gibt? Oder ist es nicht ebenso eine Chance, Freiheit zu praktizieren? Will die Mitwirkung von Eltern und Schülern in der Schule nur eine gerechtere Verteilung der Befugnisse, oder soll damit ein neuer Raum geschaffen werden, in dem Freiheit sich üben und bewähren kann? Es gibt kein Beispiel dafür, daß Demokratisierung – wie Schelsky fürchtet – auf die bloße Mehrheitsentscheidung Unbefugter hinausläuft. Wo immer Demokratisierung praktiziert wird, in der Universität, in der Kirche, im Betrieb, in der Verwaltung: sie soll durch Teilung von Befugnissen, durch Gewaltenteilung, neue Freiheitsräume öffnen, vor allem für die Bürger, die bisher wenig Chancen hatten, ihre Freiheit zu nutzen. Daß überall, wo neue Freiheitsräume geschaffen werden, andere gefährdet sind, soll nicht geleugnet werden. Die Aufhebung der Leibeigenschaft hat zuerst einmal die Freiheit des Gutbesitzers eingeschränkt, seine Leibeigenen wie Vieh zu verkaufen.

Daß der Unternehmer, der Leiter eines Instituts, der Medizinprofessor an der Klinik, der Schulleiter, der Minister, der Bischof, der Oberbürgermeister mehr als bisher ihre Befugnisse teilen sollen, bedeutet für sie eine Einschränkung ihrer Verfügungsfreiheit über andere, es bedeutet für die Gesellschaft insgesamt mehr Freiheit.

Sicher gibt es auch hier eine Grenze. Sie liegt aber nicht in der Freiheit, sondern in der Funktionsfähigkeit der Institutionen und in der physischen und psychischen Belastbarkeit einzelner Funktionsträger. So hat die Mitbestimmung im öffentlichen Dienst ihre Grenzen an dem Wählerauftrag, den die Regierung auszuführen hat. So hat die Bürgerbeteiligung in der Gemeinde ihre Grenze an der Notwendigkeit, überhaupt Entscheidungen zu treffen. So hat die Demokratisierung der Kirche ihre Grenze, wo der Auftrag der Kirche, die evangeliumsgemäße Verkündigung, tangiert wird.

Sachgerechte Demokratisierung wird in jedem Bereich zu anderen institutionellen Formen führen. Sie kann auch nicht eine Mode weniger Jahre sein, sie ist eine Aufgabe für längere Frist. Gegen jede, auch eine sachgerechte Demokratisierung, muß sich der Widerstand der Strukturkonservativen formieren. Um so wichtiger wird es sein, für Wertkonservative einsichtig zu machen, daß es hier um die Verwirklichung von Grundwerten geht und nicht darum, ein formales Prinzip zu Tode zu reiten.

Man wird im Prozeß der Demokratisierung Erfahrungen sammeln, Lehrgeld bezahlen. Aber am Ende des Prozesses der Demokratisierung wird der Bürger selbstbewußter, die Zahl der Privilegien kleiner, Machtmißbrauch seltener und die politische Demokratie sicherer sein.

V

Freiheit hat ihre Grenze an der Freiheit des anderen. Der Slogan »Freie Fahrt für freie Bürger« ist deshalb so unverantwortlich, weil der freie Bürger auf seiner Fahrt anderen freien Bürgern begegnet, die möglicherweise gar nicht so schnell fahren können wie er, die aber am nächsten Tag noch unverkrüppelt leben wollen.

Wenn der Gesetzgeber meine Freiheit beschränkt, in geschlossenen Ortschaften offenes Feuer zu machen oder zu bestimmten Zeiten den Motorrasenmäher zu benutzen, dann, weil damit die Lebensqualität des Nachbarn berührt wird. Und diese Fälle der Beschränkung werden sicher zunehmen. Sofern sie jedermann einsichtig zu machen sind, sofern die Sachgerechtigkeit solcher Beschränkungen nicht ernsthaft zu bestreiten ist, werden sie auch nicht als Unfreiheit empfunden.

Demokratische Sozialisten sind vor mehr als hundert Jahren angetreten, um Freiheit für alle nutzbar, praktizierbar, erlebbar zu machen. Dies war nur möglich durch das, was sie Gerechtigkeit nannten. Sie wollten für alle die Chance der freien und solidarischen Selbstverwirklichung erringen. Sozialismus will nicht weniger, er will mehr Freiheit.

Dies bedeutet Abgrenzung nach der Seite, die da meint, Freiheit sei erst möglich, wenn durch die Abschaffung von Klassenherrschaft Gerechtigkeit realisiert sei. Es soll gar nicht bestritten werden, daß Männer wie Lenin oder Trotzki letztlich Freiheit wollten. Aber die Geschichte hat bewiesen, daß der Weg zur Freiheit nie über die Unfreiheit führen kann. Zwei Generationen nach der Oktoberrevolution kann sich die sowjetische Gesellschaft noch keine kritische Meinungsäußerung leisten. Freiheit ist nur in Freiheit zu erweitern. Der Schritt von der Freiheit zur Unfreiheit ist allemal leichter als der umgekehrte. Wer Freiheit will, muß jeden Augenblick Freiheit riskieren. Wer Freiheit und Sozialismus auseinanderreißt, tötet beide.[37]

Für den Arbeiter gab es, wollte er Freiheit und Gerechtigkeit realisieren, nur eine Chance: die Solidarität derer, die auf sich allein gestellt ohnmächtig waren, ihren Freiheitsraum auszuweiten. Insofern hat Solidarität das Eigeninteresse nicht geleugnet, sondern im dreifachen Wortsinn »aufgehoben«, bewahrt, auf eine höhere Stufe gehoben und damit in seiner nackten Form abgetan. Solidarität war in der Arbeiterbewegung immer auch Mittel zur gemeinsamen Selbstbehauptung.[38] Von Anfang an schwang in diesem Begriff aber auch die fraternité der Französischen Revolution, die Grundhaltung der Brüderlichkeit, und in ihr das christliche Gebot der Nächstenliebe mit.

Auch wenn es uns gelänge – und es gelingt uns natürlich nicht – das denkbare Höchstmaß an Freiheit und Gerechtigkeit zu erreichen, so könnte ohne Solidarität das Leben doch unerträglich werden. Die Bundesrepublik Deutschland kann sich in bezug auf Freiheit und soziale Gerechtigkeit mit jedem Land der Erde messen. Kann sie es auch in bezug auf Solidarität?

Natürlich stimmt es: Die jeweils Alten leben von der Solidarität der jeweils Jungen, die jeweils Kranken von der Solidarität der jeweils Gesunden, die jeweils Arbeitslosen von der Solidarität der jeweils Arbeitenden. Aber wer empfindet dies noch so? Schon in den Schulen erstickt der Konkurrenzkampf um die bessere Note Ansätze zur Solidarität. Kein Wunder, daß später solidarisches Verhalten oft als Trottelhaftigkeit mißverstanden wird. Wie sieht es mit der Solidarität zwischen unseren Einzelgewerkschaften, innerhalb der Parteien aus? Daß es eine Solidarität mit den Leidenden geben könnte, die über Staatsgrenzen hinausreicht, gilt immer noch als »Ideologie«, daß es keine geben könne, als Realismus.

Wenn nicht alles täuscht, so wird es ohne neue Einübung in Solidarität kein Überleben geben, zumindest kein menschenwürdiges. Ein Straßenverkehr, bei dem jeder ohne Rücksicht auf den anderen auf seine Freiheit und sein Recht pochen wollte, wäre für die meisten Menschen auch dann nicht mehr erträglich, wenn sie dabei am Leben blieben. Ein Gesundheitswesen müßte auch bei optimaler technischer Ausstattung Menschen eher krank als gesund machen, wenn die personale menschliche Zuwendung des Pflegepersonals zum Patienten wegfiele. Und eine internationale Politik, bei der jeder Nationalstaat entschlossen ist, seine Souveränitätsrechte und Interessen ohne Rücksicht auf andere geltend zu machen, kann nur in der Katastrophe enden. So wie die frühere Arbeiterbewegung ohne Solidarität zerrieben worden wäre, wird Solidarität heute zur Existenzbedingung für die Menschheit.

Der Mangel an Solidarität sorgt nicht nur dafür, daß Hunderte von Millionen hungernder Kinder, falls sie überleben, zeitlebens gezeichnet bleiben, er führt auch dazu, daß Millionen von vernachlässigten, ungeliebten Kindern bei uns in Psychosen und Neurosen getrieben werden. Die physische Not in der Dritten Welt hat ihre Entsprechung in der psychischen Not bei uns. Beide haben letztlich dieselbe Wurzel.

Wenn unsere Freiheit gefährdet ist, dann durch den Mangel an Solidarität. Überleben in Freiheit wird um so schwieriger, je weniger wir Solidarität üben. Wo Rücksichtnahme mit immer neuen Gesetzen erzwungen werden muß, engt sich schließlich der Freiheitsraum ein. Denn keine gesetzliche Regelung läßt sich so fassen, daß sie nicht in Grenzfällen Unsinniges bewirkt.

Es mag richtig sein, daß sich Solidarität noch weniger als Freiheit und Gerechtigkeit durch politisches Handeln schaffen läßt. Zerstören läßt sie sich durch politisches Handeln sehr wohl. Wie soll eine junge Generation, die den Eindruck erhält, die Älteren lebten von der Hand in den Mund, ohne sich um die Zukunft ihrer Kinder zu kümmern, zur Solidarität angehalten werden?

Wie soll eine Gesellschaft, deren politische Parteien in einem Wettlauf um Steuersenkungen außer Atem kommen, während in weiten Teilen der Welt Hungerkatastrophen heraufziehen, Solidarität für etwas anderes als Sentimentalität halten?

Arnold Toynbee hat kürzlich in einem Interview formuliert: »Wir werden lernen müssen, die Philosophie des Eigennutzes, die wir Adam Smith verdanken, genau umzukehren.« Das mag utopisch sein. Aber wir müssen zumindest den Strukturkonservativen widersprechen, wenn sie diese Philosophie des Eigennutzes verwechseln mit einer Philosophie der Freiheit.

Noch nie in der Geschichte war Freiheit so auf Solidarität

angewiesen wie heute. Und noch nie haben wir so deutlich zu spüren bekommen, wie wenig Gerechtigkeit ohne Solidarität humanes Zusammenleben schaffen kann.

VI

Bekenntnisse zur Solidarität gehören im Zeitalter der cleveren Semantiker zur politischen Routine. Trotzdem: An der Frage, was Solidarität meint, könnten sich die Geister scheiden und die politischen Fronten bilden. Meint Solidarität den Unfallwagen, der rasch und hygienisch einwandfrei jeden abschleppt, der unter die Räder unserer Konkurrenzgesellschaft gekommen ist? Oder verlangt Solidarität den Versuch, die Strukturen unserer Gesellschaft so zu verändern, daß weniger Menschen unter diese Räder kommen?

Solidarität: Ist das nur Arbeitslosenhilfe oder Sozialhilfe für die Junglehrer, die trotz überfüllter Klassen keine Stelle finden, oder ist das auch und vor allem die Bereitschaft aller, auch, aber nicht allein, der etablierten Lehrer, das Geld aufzubringen oder einzusparen, das zur Besoldung dieser Junglehrer gebraucht wird?

Solidarität: Ist das nur die nachträgliche, mehr oder minder wirksame ärztliche Hilfe für die Arbeiterin, die sich die Bandscheiben verdorben hat durch jahrelange Schufterei in ein und derselben Körperhaltung, oder ist das auch und vor allem die Bereitschaft, Arbeitsplätze so einzurichten, daß sie weniger Gesundheitsschäden anrichten?

Solidarität: Ist das nur die medizinische Behandlung für das Kind, das vor dem Leistungsdruck der Schule in psychische oder psychosomatische Krankheiten geflohen ist, oder ist Solidarität auch und vor allem der Versuch, unseren Kindern zu einem unverkrampften Lernen zu verhelfen?

Solidarität: Ist dies nur der Zehnmarkschein für Misereor und »Brot für die Welt«, oder gehört dazu auch und vor allem die Bereitschaft, für Kupfer und Zinn kontinuierlich etwas mehr zu bezahlen, als dies im einen oder anderen Augenblick nach dem Gesetz von Angebot und Nachfrage nötig wäre?

Solidarität: Ist dies der Fernseher im Knast, oder ist dies auch und vor allem eine Anstrengung zur Resozialisierung oder noch besser: der Sozialisierung, die schon in der Schule beginnen muß?

Kurz: Ist Solidarität nur ein nachträgliches Auffangen des Fallenden, oder gehört zur Solidarität zuerst das Stützen und Schützen, das Ermutigen und Bestätigen, also die faire Chance der Selbstverwirklichung für jeden?

Auch der Unfallwagen ist ein Stückchen Solidarität für die vielen, die körperlich oder seelisch überfordert, aus dem Arbeitsprozeß geworfen oder gar nicht erst in ihn einbezogen worden sind, deren Leistung nicht gefragt ist und nicht richtig gewertet wird, die von Unfällen im Betrieb oder im Straßenverkehr verstümmelt wurden. Aber solche Solidarität könnte auch zur billigen Ausrede werden für alle, die nichts unternehmen wollen, damit weniger Menschen unter die Räder unserer Gesellschaft geraten; die nichts unternehmen wollen, weil dies ihre Machtposition gefährden könnte. Daher ist die Solidarität des Unfallwagens die Solidarität der Strukturkonservativen. Was wir jetzt brauchen, ist eine gemeinsame wertkonservative Anstrengung, mehr Solidarität in die Strukturen unserer Gesellschaft einzuprägen, damit weniger Menschen in jenes Netz sozialer Sicherheit geworfen werden, das wir miteinander gespannt haben und miteinander festhalten.

Hier entscheidet sich auch, ob wir eine Gesellschaft werden, in der eine schrumpfende Mehrheit von Gehetzten damit beschäftigt ist, die wachsende Minderheit derer durchzubringen, die nicht mehr mithalten können, oder ob wir jedem die Chance geben wollen, seinen Beitrag zu leisten, etwas Nützliches für die Gesellschaft zu tun.

Wir dürfen uns niemals abfinden mit einer Gesellschaft, in der eine wachsende Minderheit von Alten, Frührentnern, Arbeitslosen, Behinderten, Gebrechlichen, Kranken, psychisch und physisch Überforderten, Drogen- und Alkoholsüchtigen, Straffälligen oder Ausgeflippten nicht ohne mißfälliges Knurren ausgehalten wird von einer schrumpfenden Mehrheit derer, die japsend und keuchend im Rennen um den Erfolg gerade noch mithalten können, so lange, bis auch sie, früher als nötig, zur wachsenden Minderheit abgedrängt werden.

Wollen wir eine Gesellschaft, die spätestens dann zusammenbricht, wenn die wachsende Minderheit zur Mehrheit geworden ist? Oder wollen wir eine Gesellschaft, die sich die äußerste Mühe gibt, jedem seine Chance zu geben, sein Recht durchzusetzen auf Arbeit, auf Anerkennung dieser Arbeit, auf Entfaltung in dieser Arbeit, auf die ihm gemäße Leistung, auf menschliche Zuwendung und soziale Sicherung?

Wer aufmerksam verfolgt hat, was sich in den Vereinigten Staaten vollzieht, weiß, daß dies die wirkliche Alternative der nächsten Jahre ist. Wenn es die Gefahr eines Zerfallens und Zerbröckelns unserer Gesellschaft gibt, dann hier. Daher werden sich an der Frage, was Solidarität sei, die Geister und die Interessen scheiden, daher wird sich an dieser Frage unsere Zukunft entscheiden.

6. Kapitel:
Aufgabe und Legitimation

I

Längst ehe uns die historische Zäsur der siebziger Jahre überraschte, stand es schlecht um das Verhältnis von Politik und Ethik in Deutschland. Bismarck und noch mehr die Leute, die an dem grobschlächtigen Bismarckbild des deutschen Bürgertums pinselten, lösten im Denken vieler Deutscher den Kurzschluß aus, beides verhalte sich zueinander wie Feuer und Wasser. »Realpolitik« nannte man eine Politik, die alle geistigen und moralischen Realitäten übersah oder leugnete. Und wo jemand ein anderes Bild von Realität hatte, mußte Martin Luther herhalten mit seiner Warnung vor dem Schwärmertum. Von August Bebel, der das siegestrunkene Deutschland vor der Annexion Elsaß-Lothringens warnte, bis zu Gustav Heinemann, der nicht an die Vereinbarkeit von NATO und deutscher Einheit glauben wollte, bewegt sich da ein stattlicher Zug von »Schwärmern« durch unsere Geschichte. Manche möchten sogar den Willy Brandt einreihen, der vor den Opfern des Warschauer Gettos kniete, obwohl er mehr Realität geformt hat als alle seine Kritiker zusammengenommen. Daß der Zug noch lange nicht zu Ende ist, weiß niemand besser als der Autor.

Wo etwas gründlicher nachgedacht wird, wirkt noch heute jener berühmte Vortrag Max Webers über ›Politik als Beruf‹ nach, der die Unterscheidung zwischen »Gesinnungsethik« und »Verantwortungsethik« in die Diskussion eingeführt hat. Wer heute diese Rede aus dem Revolutionswinter 1918/19, gehalten vor Münchner Studenten, nachliest, stellt fest, daß es sich hier keineswegs um eine ausgefeilte, nach allen Seiten abgesicherte

Theorie, sondern um einige wenige, teilweise polemische Bemerkungen am Schluß seiner Rede handelt, die im übrigen – wie könnte es bei einem politischen Menschen anders sein – ganz unter dem Eindruck von Krieg, Niederlage und Revolution standen. Weber wendet sich gegen Leute, die eine Gesinnung vor sich her tragen: »Die Welt ist dumm und gemein, nicht ich; die Verantwortung für die Folgen trifft nicht mich, sondern die andern ...«[39] Kein Wunder, wenn Weber feststellt, bei solchen Gesinnungsethikern handle es sich in neun von zehn Fällen um »Windbeutel«. Es ist auch mehr als verständlich, daß für Weber im Winter 1918/19 das entscheidende Mittel der Politik die »Gewaltsamkeit« ist, daß er alle verachtet, die davor die Augen verschließen wollen. Nur: Es wird Zeit, die Unterscheidung Webers daraufhin abzuklopfen, was sie für unsere Entscheidungen heute noch abwirft.

Was für Max Weber Gesinnungsethik oder auch absolute Ethik war, wäre für Dietrich Bonhoeffer überhaupt keine Ethik gewesen. Eine Haltung, die nach den Folgen nicht fragt und die ängstlich um das Heil der eigenen Seele kreist,[40] mag eine besonders abstoßende Form von religiösem Egozentrismus sein, den Rang einer Ethik hat sie nicht. Was Weber über die absolute Wahrheitspflicht solcher Gesinnungsethik sagt, gilt für den privaten Bereich so wenig wie für den politischen. Wenn ein Kind vom Lehrer gefragt wird, ob sein Vater gestern abend wieder betrunken im Straßengraben gelegen habe, so ist nach Bonhoeffer die Antwort »nein« mehr »in der Wahrheit« als die Antwort »ja«, auch wenn der Vater wirklich im Straßengraben lag.

Letztlich ist jede Ethik, zumindest wenn sie christliche Wurzeln hat, Verantwortungsethik. Der Christ ist nicht aufgefordert, vor jeder denkbaren Sünde davonzulaufen und sein Gewissen zu salvieren, sondern sich um seinen Nächsten zu kümmern. Und diese christliche Einsicht ist bei der Säkularisierung unserer Ethik nicht verlorengegangen, sie ist eher noch deutlicher geworden. Was Max Weber für den privaten Bereich gelten lassen will, ist letztlich auch dort nicht legitim, und was er als das Besondere der Politik reklamiert, gilt letztlich überall, wo Menschen für andere Verantwortung tragen, also überall, wo Menschen einander begegnen.

Es ist nicht wahr, daß »das spezifische Mittel der legitimen Gewaltsamkeit die Besonderheit aller ethischen Probleme der Politik bedingt«.[41] Dies mag im Vordergrund gestanden haben, als der leidenschaftlich politische Gelehrte Max Weber 1919 zu seinen Studenten sprach. Und es mag immer wieder einmal im Vordergrund stehen. Natürlich hat der Politiker immer mit Macht zu tun, aber das hat der Unternehmer, der Verbandsfunktionär, der Richter und der Arzt auch. Und die Möglichkeiten, Macht zu mißbrauchen, sind heute außerhalb des im strengen Sinn politischen Bereichs zumindest nicht geringer als innerhalb.

Es ist nicht wahr, daß es einen prinzipiellen ethischen Unterschied gäbe zwischen der Verantwortung für eine Familie und der für eine Stadt, zwischen der Verantwortung für ein Amtsgericht und der für ein Ministerium. In jedem Fall sind Entscheidungen – und damit natürlich auch Fehlentscheidungen – nötig und möglich, die das Gewissen des Entscheidenden belasten müssen. Wer solche Entscheidungen nicht auf sich nehmen kann, ist als Gewerkschaftsfunktionär ebenso untauglich wie als Schulleiter, als Manager ebenso wie als Abgeordneter. Wer Entscheidungen für andere zu treffen hat – und dies hat irgendwann jeder, gerade auch in einer demokratischen Gesellschaft –, wird zuerst nach dem Wohl derer zu fragen haben, für die er entscheidet. Und dann wird er Mittel und Zweck gegeneinander abwägen müssen. Zwar wird dies um so schwieriger, je größer der Verantwortungskreis ist. Aber das sind graduelle, nicht prinzipielle Unterschiede. Auch der Tatbestand, daß der Politiker, wenn er wirken will, auf Vertrauen angewiesen ist, das immer neu errungen sein will, unterscheidet ihn nicht prinzipiell von einem Dirigenten, einem Maurerpolier, nicht einmal von einer Mutter oder einem Vater.

Es mag sein, daß Züge dessen, was Max Weber Gesinnungsethik nannte, auch heute noch gelegentlich sichtbar werden, etwa in einzelnen Studentenprotesten. Aber auch da handelt es sich meist darum, daß »gesinnungsethische« Parolen von Leuten ausgegeben werden, die – und dies auch noch zu Recht – von solcher Gesinnungsethik nichts halten. Andererseits wird die »Verantwortungsethik« immer mehr zu einer Fluchtburg, in die sich Politiker zurückziehen, wenn sie des Argumentierens müde sind, wobei dann die nicht weiter definierte Ethik sich gewissermaßen von selbst aus der Verantwortung ergibt.

Wenn Politiker sich mit der Gloriole der »Verantwortungsethik« umgeben, dann meist, um Gegner in die Sektiererecke einer »Gesinnungsethik« zu verbannen. Aber eben dies verdeckt die wirklichen Fragen mehr, als es sie sichtbar macht. In Wirklichkeit geht es nicht darum, ob man Verantwortung durch Gesinnung ersetzen kann – das kann man weder in der Politik noch sonstwo –, sondern darum, wofür wir verantwortlich sind, wie weit unsere Verantwortung – zeitlich und räumlich – reicht und in welcher Weise wir diese Verantwortung wahrnehmen können.

II

Für Max Weber war der Bezugsrahmen politischer Verantwortung der souveräne Nationalstaat. Er war nicht nur die Legitimationsbasis politischen Wirkens – das ist er heute noch –, er war auch Rahmen und Grenze für die politische Verantwortung, seine Macht und seine innere Ordnung waren Ziel der Politik. Was 1919 schon nicht ganz selbstverständlich war, ist es nach der Zäsur der siebziger Jahre noch weniger.

Die letzte verantwortliche Frage sei nicht, »wie ich mich heroisch aus der Affäre ziehe, sondern, wie eine kommende Generation weiterleben soll«, schrieb Dietrich Bonhoeffer Ende des Jahres 1942 aus dem Gefängnis. Lebte er noch, so müßte er heute wohl formulieren, »*ob* und wie eine kommende Generation weiterleben soll«. Denn inzwischen hat die Menschheit die Mittel, dieses Weiterleben durch Zerstörung ihrer Lebensgrundlagen zunichte zu machen, sei es durch Krieg, sei es ohne Krieg. Das eine wissen wir seit den fünfziger Jahren, das andere seit den frühen siebziger Jahren.

Der Tatbestand, daß es nicht mehr nur um das Wie, sondern auch um das Ob geht, gibt aller Politik eine neue Qualität. Noch bis ins 18. Jahrhundert hat die Tagespolitik den Bauern oder Bürger kaum berührt. Sie wurden darüber auch nicht informiert. Da das Gesellschaftssystem selbst nicht in Frage stand, entschied sich politisch, welchem Herrscherhaus man welche Steuern zu bezahlen hatte, welche Feldzüge man über sich ergehen lassen mußte. Das änderte sich gründlich im Zeitalter des nationalstaatlichen Imperialismus, bis schließlich über die soziale und dann auch physische Liquidierung ganzer Klassen oder Rassen politisch entschieden wurde. Aber noch im Frühjahr 1945, als Millionen von Soldaten sich kreuz und quer durch Europa nach Hause durchschlugen, war mancher davon betroffen, wie wenig die natürlichen Lebensgrundlagen vom Morden dieser Jahre berührt waren. Hier haben dreißig Jahre Frieden mehr zerstört als sechs Jahre Krieg. Und was nach sechs Stunden eines neuen Krieges noch übrig wäre, entzieht sich – glücklicherweise – unserer Vorstellungskraft.

Wenn nach Carl Amery »nicht eine bessere, schönere, größere Zukunft, sondern die Zukunft schlechthin« auf dem Spiel steht, kann dies doch wohl die Maßstäbe politischer Ethik nicht unberührt lassen. Dies gilt umso mehr, wenn die Strukturen, in denen politische Entscheidungen getroffen – oder versäumt – werden, in einem grotesken Mißverhältnis zur Aufgabe stehen. Hier soll versucht werden, dies an drei Problemfeldern – die sich übrigens vermehren ließen –, deutlich zu machen.

III

Menschliche Entscheidungen waren immer belastet durch die Tatsache, daß unser Wissen nicht ausreicht für verantwortliche Entscheidung. Im besten Fall werfen wir eine Boccia-Kugel in Richtung auf ein klar definiertes Ziel. Wir wissen auch ungefähr, wie stark wir zu werfen haben. Aber wir wissen nicht, wieviele andere Kugeln wir mit unserem Wurf verschieben, möglicherweise das Ziel selbst. Und schon der nächste Spieler kann dafür sorgen, daß unsere Kugel so weit vom Ziel entfernt liegt, als hätten wir gar nicht gezielt. Jedes Handeln auf Zukunft hin riskiert nicht nur die Wirkungslosigkeit, sondern auch das Gegenteil des Gewollten.

Daran hat die Wissenschaft nichts gebessert. Im Gegenteil: Was sie zusätzlich an Entscheidungskriterien zu liefern vermag, steht in keinem Verhältnis zur gewachsenen Tragweite der Entscheidung. Konjunkturpolitische Beschlüsse müssen gefaßt werden aufgrund von Prognosen, die meist untereinander differieren und sich gelegentlich alle als falsch erweisen. Aber davon hängen die Arbeitsplätze von Millionen ab. Zur Frage, welche Dosis Radioaktivität schädlich sei, hat die Wissenschaft im Laufe der Jahrzehnte die verschiedensten Auskünfte gegeben. Zum Thema der Gefährlichkeit von Kernkraftwerken kann sich der Politiker heute jede Art von wissenschaftlichem Gutachten bestellen, weil er im voraus weiß, welcher Wissenschaftler welche Meinung vertritt. Zigaretten waren vor zwanzig Jahren sicher nicht weniger gesundheitsschädlich als heute, nur gab es dafür keine durchschlagenden Beweise. Welche Medikamente auf längere Sicht welche Nachwirkungen haben, werden wir erst sicher wissen, wenn der Schaden irreparabel ist. Wo der Punkt liegt, an dem eine wirtschaftliche Wachstumsrate voll aufgebraucht wird für die Beseitigung der negativen Folgen eben dieses Wachstums, ist nach wie vor offen.

Der Autor kennt nur wenige Fälle, in denen ein Wissenschaftler ihm eine politisch relevante Frage präzise und zuverlässig hätte beantworten können. Und auch dann war nicht auszuschließen, daß ein anderer Wissenschaftler zur gleichen Zeit oder wenig später abweichende Erkenntnisse anbot. Dies ist kein Vorwurf gegen die Wissenschaft. Aber es soll deutlich machen, wie weit wir auch dann von einer wissenschaftlich fundierten Politik entfernt wären, wenn der Politiker die Entscheidungsfreiheit hätte, dem Rat des Wissenschaftlers zu folgen. Zwischen dem wissenschaftlich Erkennbaren und dem politisch Machbaren klaffen drei verschiedene Lücken: Wissenschaftler wissen oft nicht, was sie wissen sollten, Politiker wissen meist nicht, was Wissenschaftler wissen, und wissen sie es ausnahmsweise, so haben sie meist nicht den Handlungsspielraum, daraus Konsequenzen zu ziehen. Dies aber bedeutet: Wir wissen meist gar nicht, wofür wir Verantwortung übernehmen. Wir wissen nur, *daß* wir sie zu übernehmen haben, denn auch Nicht-Handeln hat seine Folgen und will verantwortet sein.

IV

Wer unmittelbar politisch wirken will, muß dazu legitimiert sein. Diese Legitimation entsteht in westlichen Industrieländern durch nationale oder regionale Wahlen. Wenn aber über Ob und Wie des Überlebens nicht national, sonder global entschieden wird, entsteht hier eine Lücke zwischen dem, was zum humanen Überleben nötig wäre, und dem, was die Legitimationsbasis zu tun erlaubt. Solange der Appell an nationalen Egoismus und provinzielle Beschränktheit Mehrheiten verheißt – und dies ist normalerweise der Fall –, wird es in der Regel auch Politiker geben, die diesen bequemen Weg zur Macht zu gehen versuchen. Und wenn auch nur die Gefahr besteht, daß einer dies tut, ist für die anderen die Versuchung groß, ihm zuvorzukommen.

Wo es um das Überleben von Regierungen geht, sind Beiträge zum Überleben der Menschheit wenig gefragt. Und hier tut sich eine Kluft auf zwischen der notwendigen politischen Legitimation durch den Wähler – in anderen Regierungssystemen durch eine wenig artikulierte, aber spürbare öffentliche Meinung – und der ethischen Legitimation aus der Verantwortung dafür, ob und wie eine kommende Generation weiterleben soll. Der Raum, in dem politisches Handeln seine politische Legitimation findet, deckt sich nicht mehr mit dem, der dieses Handeln ethisch legitimieren könnte.

Daraus ergeben sich Fragen:

– Wie läßt sich die politische Legitimationsbasis, also das Bewußtsein der Mitbürger verändern?

– Wie weit kann und darf sich der Politiker bei seinen Entscheidungen vom Bewußtsein seiner Wähler entfernen?

Oder brutaler:

– Wieviele Millionen Tote am anderen Ende des Erdballs müssen in Kauf genommen werden, damit die Million Wähler gewonnen – oder gehalten – wird, die über die politische Macht im eigenen Land entscheidet?

Und umgekehrt:

– Gibt es einen Punkt, an dem sich Wähler so überfordert fühlen, daß auch faschistoide oder faschistische Parolen eine Chance bekommen?

Praktisch:

– Wie rasch kann in Westeuropa der Prozeß wirtschaftlicher Umstrukturierung vor sich gehen, der den Industrien der Entwicklungsländer eine Chance gibt?

– Dürfen wir, die wir unsere Ölrechnung spielend bezahlen können, das Energiesparen andern überlassen, wohl wissend, daß dies dazu beiträgt, den Ölpreis so hoch zu halten, daß andere daran zugrunde gehen?

– Können wir es wagen, in der Europäischen Gemeinschaft mehr Getreide anzubauen und weniger zu verfüttern, damit das Getreideangebot auf dem Weltmarkt größer wird?

– Können wir es unserer Wirtschaft zumuten, aufgrund eines Rohstoffabkommens mehr für Kupfer oder Sisal zu bezahlen, als der Weltmarktpreis dies im Augenblick ausweist?

– Dürfen wir die Steuern um das Fünfundzwanzigfache dessen senken, was wir an der Entwicklungshilfe einsparen?

Hinter all diesen Fragen steht die grundsätzliche: Was will, kann und darf der Politiker riskieren, um einer Verantwortung gerecht zu werden, die das Bewußtsein derer überfordert, die ihn in die politische Verantwortung delegiert haben?

V

Wenn der Raum, in dem politisches Handeln sich legitimieren muß, sich nicht mehr deckt mit dem Raum, in dem es sich ethisch legitimieren müßte, so gilt dies auch für die Zeit: Der Zeithorizont des Politikers, der Wahlen gewinnen will, unterscheidet sich gründlich von dem Zeithorizont, in dem gehandelt werden müßte, wenn es darum ginge, »ob und wie eine kommende Generation weiterleben soll.«

Es ist nicht wahr, daß Politiker heute kurzsichtiger wären als vor zwanzig oder hundert Jahren. Nur: Wir können uns Kurzatmigkeit heute weniger leisten als damals. Die Methode der Wahlgeschenke, in den fünfziger Jahren mit Virtuosität gehandhabt, war keineswegs nur für den politischen Gegner ärgerlich, der sich auf eine billige Weise ausgespielt sah. Und doch hat sie kaum irreparable Schäden hinterlassen. Wir hatten ja beliebig viel Zeit. Vor uns lag eine Zukunft raschen wirtschaftlichen Wachstums, stetig steigenden Wohlstands, unbegrenzter Möglichkeiten. Da ließ sich noch ganz anderes reparieren als die Tricks allzu schlauer Wahlkämpfer.

Heute stehen wir unter einem Zeitdruck, wie ihn die Menschheitsgeschichte noch nicht gekannt hat. Auch wer unsere Chancen, mit den Krisen unserer Zeit fertig zu werden, optimistischer einschätzt als Meadows, Mesarović oder Pestel, wird sich dem Eindruck nicht entziehen können: Für jeden Monat, in dem im Süden die Bevölkerungsexplosion ungehindert weitergeht, die Zahl der Arbeitslosen weiter wächst, tropische und subtropische Wälder rücksichtslos abgeholzt werden, fruchtbare Böden erodieren, verkarsten oder – bei uns – durch Überdosen von Pestiziden vergiftet werden, knappe Rohstoffe oder Energieträger vergeudet, Meere vergiftet und Landschaften mit Beton überzogen werden, muß spätestens die nächste Generation bezahlen. Solange es nur darum ging, ob die Zukunft noch besser sein könne, als sie sich durch die Fortschreibung der Gegenwart ohnehin zu ergeben schien, war kurzatmiges Fortwursteln eine von vielen fragwürdigen Methoden, Politik zu machen. Jetzt bedeutet das herkömmliche »muddle through« nicht mehr und nicht weniger, als daß wir unseren Kindern die Solidarität verweigern, von der wir so gerne reden.

Nach wie vor gibt es in der Bundesrepublik keinen Zeitpunkt, an dem die Aufmerksamkeit der politischen Parteien und ihrer Repräsentanten nicht durch irgendeine Wahl in Bund, Ländern oder Kommunen gefesselt wäre. Denken britische Politiker in Fünfjahresperioden, so schrumpft der politische Zeithorizont bei uns auf wenige Monate zusammen. Wer in einem Jahr mehrfach um seine politische Existenz kämpfen, sich von Wahl zu

Wahl mühsam über Wasser halten muß, ist natürlich versucht, die Probleme der Zukunft seinen Kindern zu überlassen. Aber eben dies dürfen wir nicht, weil sie ihnen und uns bis dahin über den Kopf gewachsen sind.

VI

Natürlich ist dies auch eine Frage nach der Regierbarkeit von Staaten unseres Typs. Aber solange wir ein angemesseneres System nicht anbieten können, steht der Politiker immer vor folgenden Fragen:
- Gibt es eine Möglichkeit, das mittel- und langfristig Nötige dem Bürger so nahezubringen, daß es auch das kurzfristig Verständliche und Akzeptable werden kann?
- Mit wievielen längerfristigen Aufgaben darf man den Bürger konfrontieren, ohne daß er kopfscheu sein Heil in der Reaktion sucht?
- Wieviel an Risiko für die kurzfristige politische Legitimation muß der Politiker auf sich nehmen, wenn er seiner längerfristigen Verantwortung einigermaßen gerecht werden soll?
  Anders gesagt: Die Frage, ob der politische Mandatsträger nur an vorhandenes Bewußtsein zu appellieren oder ob er selbst zur Bewußtseinsbildung beizutragen habe, wird aus einer Frage des politischen Geschmacks oder Temperaments zur Kardinalfrage aller Politik.
  Willy Brandts Friedenspolitik war erfolgreich, weil er den Mut hatte, den Deutschen einen schmerzlichen Lernprozeß zuzumuten. Daß dies von Anfang an riskant war, daß die Chancen des Erfolgs oft geringer waren als die des Mißerfolgs, beweist nur den Rang der politischen Leistung.
  Keine geringere Leistung wird nötig sein, soll die Gesellschaft der Bundesrepublik auf die Veränderungen in der Weltwirtschaft konstruktiv antworten. Niemand kann über Stimmungen und Strömungen in der Gesellschaft hinweggehen. Aber nur wer Strukturen konservieren will, kann sich einfach davon tragen lassen. Die Diskussion muß da beginnen, wo die Bürger unmittelbar betroffen sind: Wo sie sich um den Wert ihres Geldes, um die Sicherheit ihrer Arbeitsplätze, um ihre Gesundheit oder die Zukunft ihrer Kinder sorgen. Aber sie muß hinführen zum Konzept einer humanen Gesellschaft in einer tiefgreifend veränderten Welt. Solche Überzeugungsarbeit ist ebenso mühselig wie

gefährlich, und manches wird auch nur durch praktisches Handeln der Legislative und der Exekutive bewußt zu machen sein. Aber wer sich in unserer Zeit auf das beschränken will, was bereits populär ist, kann allenfalls das Bestehende solange verwalten, bis es sich auch nicht mehr verwalten läßt.

Es ist richtig: Wo die Frage nach der Machbarkeit nicht gestellt wird, bewegen wir uns nicht im Raum der Politik. Der Politiker wird sich um diese Frage nie drücken können.

Umgekehrt: Das Machbare zu machen, ist ein eingängiger, aber allzu bequemer Grundsatz. Wer nur machen will, wozu das Bewußtsein schon geschaffen – oder schon seit eh und je vorhanden – ist, oder gar nur, was sich aus der Mechanik des Bestehenden zwingend ergibt, engt seinen Handlungsspielraum so hoffnungslos ein, daß er das Notwendige nicht mehr tun kann.

Es reicht nicht, das Machbare zu machen. Es geht darum, machbar zu machen, was bislang noch nicht machbar erscheint. Es geht darum, durch politisches Handeln, gekoppelt mit sachlicher Aufklärung, Bewußtsein zu verändern und dadurch neuen Handlungsspielraum zu schaffen.

VII

Wir werden uns zu entscheiden haben:
– Erstens: Halten wir die Krisen unserer Zeit für Betriebsunfälle oder Anzeichen einer historischen Zäsur?

Wollen wir uns an den Grenzen bewähren, die jetzt sichtbar werden, oder wollen wir sie ignorieren?

Ist für uns Wirtschaftswachstum ein von anderen Erwägungen unabhängiges Ziel oder die abhängige Variable anderer Ziele?

Trauen wir uns zu, notfalls auch ohne Steigerung aller Realeinkommen Massenloyalität gegenüber der parlamentarischen Demokratie zu erreichen?

Wollen wir eine Politik, die vorhandenes Bewußtsein spiegelt, oder wollen wir durch politisches Handeln Bewußtseinsveränderungen vorantreiben?

– Zweitens: Was wollen wir eher zur Disposition stellen, die Lebensgrundlagen unserer Gesellschaft oder ihre Machtstrukturen?

Wollen wir unsere Lebensbedingungen den Zwängen unseres Systems anpassen oder das System so modifizieren, daß unsere Lebensgrundlagen erhalten und verbessert werden?

– Drittens: Wollen wir global oder national denken?

Wollen wir die Interessen der Dritten oder noch mehr der Vierten Welt in unsere Kalkulation einbeziehen, oder wollen wir nationale Interessenpolitik treiben?

Sagen wir ja zu den Strukturveränderungen in unserer Wirtschaft, die sich aus der veränderten internationalen Arbeitsteilung ergeben?

Es ist wohl deutlich geworden, welche Antworten der Autor für die richtigen hält. Wichtiger ist: Hier gibt es Zwangsläufigkeiten. Die Antworten sind aufeinander bezogen: Wer Wachstum der Realeinkommen um jeden Preis will, kann letztlich nur nationalistische Politik betreiben. Wer die Dritte Welt in seine Kalkulation einbezieht, kann die Krisen unserer Zeit nicht für Betriebsunfälle halten. Wer zu Verschiebungen in der internationalen Arbeitsteilung ja sagt, muß, ob er will oder nicht, Bewußtseinsänderungen anstreben.

Wer sich an diesen Fragen entschieden hat, muß sagen, wie er sich mittelfristige Krisenbewältigung vorstellt, die sich am Maßstab der Lebensqualität orientiert. Er muß sagen, wie die Grundwerte von Freiheit, Gerechtigkeit und Solidarität hier und heute und in der überschaubaren Zukunft in praktische Politik zu übersetzen sind. Er kann kein perfektes Bild einer perfekten Zukunft entwerfen. Aber er muß zumindest an einigen Bereichen darstellen, in welcher Richtung er den Ausweg, vielleicht den Durchbruch sieht.

Er wird nicht flüchten dürfen in das, was eigentlich sein sollte. Er muß fragen, was machbar gemacht werden kann und muß, wenn wir es aufnehmen wollen mit den Angstmachern ebenso wie mit den Schönfärbern, mit den resignierten Zynikern ebenso wie mit den zynischen Zweckoptimisten.

Er wird für Reformen plädieren und jedem widersprechen, der sie auf eine Zeit nach der Krise vertagen will. Denn einmal ist eine Zeit ohne Krisen nicht in Sicht, zum andern kann man Reformen nicht wie Gefrierspinat in die Tiefkühltruhe stecken, um sie bei Gebrauch wieder aufzutauen, und drittens ist Reform etwas anderes als Volksbeglückung mit Hilfe unversiegbarer Geldquellen. Wer mit Reformen warten wollte, bis die Zeiten von 1969 oder 1970 wiederkommen, dürfte bis an sein Lebensende vergeblich warten. Die Frage ist nicht, ob wir uns nach dem Krisenmanagement auch wieder Reformen leisten können, sondern ob wir ohne Reform mit den Krisen fertig werden. Es geht nicht um Krisenmanagement *statt* Reform, nicht um Krisenmanagement *vor* Reform, sondern um Krisenbewältigung *durch* Reform.

Dies erfordert, nicht zu kurzfristig und nicht zu langfristig anzusetzen. Daher wird der Zeithorizont der folgenden Anregungen das Jahr 1980, also das Ende der 1976 beginnenden Legislaturperiode des Deutschen Bundestages sein. Damit soll nicht unterstellt werden, längerfristige Überlegungen seien überflüssig. Sie sind es weniger denn je, aber was bislang fehlt, ist ein Verbindungsstück zwischen kurzfristigem Krisenmanagement und Langzeitdiskussion. Daß die folgenden Vorschläge der Ergänzung und Vertiefung bedürfen, daß Vollständigkeit nicht einmal angestrebt werden konnte, versteht sich von selbst. Hier sollen keine Patentrezepte angepriesen, wohl aber soll eine dringend notwendige Diskussion in Gang gesetzt werden.

ZWEITER TEIL

7. Kapitel:
Private und öffentliche Haushalte

I

Unsere Einkommenshierarchien sind keineswegs so selbstverständlich und so natürlich gewachsen, wie uns unter Berufung auf das Leistungsprinzip eingeredet wird. Es gibt gute Gründe dafür, daß ein Chefchirurg wesentlich mehr verdienen muß als seine Operationsschwester, das Vorstandsmitglied eines großen Unternehmens wesentlich mehr als der Hilfsarbeiter, der Staatssekretär mehr als der Regierungssekretär, der Hochschulprofessor mehr als die Kindergärtnerin. Aber stimmen die Relationen? Und warum ist es einmal das Dreißigfache – etwa zwischen Chefchirurg und Stationshilfe –, ein andermal das Dreifache – etwa zwischen Hochschullehrer (H4) und Kindergärtnerin (BAT Vc)? Daß dies weniger mit Marktpreisen als mit Interessenvertretung und Machtstrukturen zu tun hat, weist Galbraith überzeugend nach.[42]

Ohne ausländische Arbeiter hätten Unternehmer und Gewerkschaften längst der Frage nicht mehr ausweichen können, wie man die schmutzigsten, am wenigsten attraktiven Tätigkeiten finanziell interessant machen kann. Und dann wäre auch die Frage aufgetaucht, inwieweit man Berufe, die menschliche Befriedigung bieten, auch finanziell so überdurchschnittlich honorieren muß, wie wir dies heute tun.

Aber hier geht es weder um den mehr als fragwürdigen Leistungsbegriff, mit dem unsere extremen Einkommensdifferenzen gerechtfertigt werden sollen, noch geht es um das unerschöpfliche Thema der gerechten Entlohnung. Hier geht es darum, wie Einkommenspolitik aussehen soll, wenn
– der gehobene Konsum von heute nicht der Massenkonsum von morgen werden kann;
– spürbarer Konsumzuwachs insgesamt nicht zu erwarten ist;
– Verteilungsprobleme nicht mehr durch Wachstum entschärft, geschweige denn gelöst werden können;
– hohe Inflationsraten vor allem Kleinverdiener treffen.

Über Gerechtigkeit mag man streiten. Über das, was man der Mehrheit der Bürger zumuten kann, müßte sich eher Einigkeit erzielen lassen. Auch die geschickteste Propaganda wird nicht einsichtig machen können, daß geringeres oder ausbleibendes Konsumwachstum für den einen Verzicht auf den Drittwagen, für den andern Verzicht auf die Waschmaschine bedeuten müsse. Wenn schon das Wachstum nicht mehr dafür sorgen kann, daß jeder einmal drankommt, muß erst einmal der Nachholbedarf da gedeckt werden, wo er – aus welchen Gründen auch immer – entstanden ist. Abgesehen davon, daß dies ökonomisch vernünftig ist, ist es politisch notwendig.

Es ist nicht anzunehmen, daß Arbeitnehmer bereit sein werden, immer größere Teile eines mehr oder minder konstanten Reallohns an die Krankenkassen abzuführen, wenn damit auch das überproportionale Anwachsen der Arzthonorare finanziert werden soll. Es ist nicht eben überzeugend, wenn unsere Unternehmer die Arbeitsplätze durch Lohnsteigerung und damit Gewinnminderung gefährdet sehen, solange Vorstandsmitglieder ein Mehrfaches des Bundeskanzlers verdienen können. Es ist nicht wahrscheinlich, daß der Steuerzahler weiterhin pauschal die Landwirtschaft subventioniert, solange die Diskrepanz zwischen landwirtschaftlichen Einkommen noch krasser ist als zwischen industriellen.

Dazu kommt eine Einsicht, die sich aufdrängt, wenn man sich längere Zeit in der Entwicklungspolitik engagiert hat: Weniger Ungleichheit zwischen Nord und Süd wird nicht zu erreichen sein, solange wir uns nicht um weniger Ungleichheit innerhalb der Länder des Südens und des Nordens bemühen. Warum sollte der deutsche Arbeiter auf einen noch so kleinen Teil seines Einkommens verzichten, solange ihm demonstriert wird, wie wenig sich eine möglicherweise auch noch korrupte Oberschicht im einen oder anderen Entwicklungsland um Hunger und Elend in ihrem Land kümmert und solange er auf Gruppen im eigenen Land verweisen kann, die, wenn da etwas zu opfern sein sollte, dann doch wohl mit gutem Beispiel voranzugehen hätten. Es ist kein Zufall, daß ein Land wie Schweden, das mit wesentlich geringeren Einkommensunterschieden auskommt, gegenüber Entwicklungsländern unvergleichlich viel konstruktiver und großzügiger handelt als die Bundesrepublik Deutschland.

Kurz: Eine Verringerung der Einkommensunterschiede wird zu einer Forderung der politischen Vernunft. Dies bedeutet:
– Reale Einkommenszuwächse sind in den nächsten Jahren auf

die Gruppen zu konzentrieren, die einen starken Nachholbedarf an Konsum haben.
– Die Einkommen der Mittelgruppen sind in ihrer Kaufkraft
abzusichern.
– Spitzeneinkommen, die das Fünffache eines Facharbeiterloh-
nes übersteigen, sind am nominalen Wachstum der Einkommen unterproportional zu beteiligen.
 Praktisch: Die Zeit der rein linearen Einkommensverbesse-
rungen muß zu Ende gehen.

Es gehört zum Ritual unserer politischen Diskussion, daß der
Vorwurf der Gleichmacherei fällig ist, sobald man an geheiligte
Einkommensrelationen rührt. Er wird auch diesmal nicht ausbleiben. Daher sei hier noch einmal Galbraith zitiert: »Entloh-
nung wird nicht vom Markt festgesetzt, sondern von Menschen
... Ist eine Hierarchie besonders tief gestaffelt, wie das bei einer
ausgereiften Kapitalgesellschaft der Fall ist, muß der Unterschied
in der Entlohnung zwischen denen ganz oben und denen ganz
unten infolgedessen besonders groß sein.« Was hier für eine
Kapitalgesellschaft gesagt wird, gilt auch für die Hierarchien der
Verwaltung oder der Krankenhäuser. In all diesen Fällen ist auch
Macht im Spiel: »Steigt ein Mann in der Hierarchie auf, so erhält
er mehr Macht. Zu dieser Macht zählt immer die Möglichkeit,
auf sein eigenes Gehalt oder das der Führungsspitze, der er
angehört, Einfluß zu nehmen.«[43]

Auffällig ist auch, daß der Vorwurf der Gleichmacherei aus
denselben Gruppen kommt, die nicht genug die Gefahr der
Akademikerschwemme beschwören können. Es geht nicht an,
den hohen Wert handwerklicher Betätigung zu preisen, solange
es akademische Berufe gibt, deren Durchschnittseinkommen
beim Siebenfachen eines Facharbeiters liegt. Solange in unseren
Schulen entschieden werden soll, ob ein junger Mensch später
das Sechsfache oder Zehnfache seiner Kameraden verdienen
kann, wird es auch keine humane Schule geben. Im übrigen:
Wenn in dem rauheren Klima der kommenden Jahre etwas die
Marktwirtschaft diskreditieren kann, dann ihre Unfähigkeit, offenkundig unsinnige Einkommensdifferenzen zu beseitigen.

II

Die Konzepte einer Vermögensbildung in Arbeitnehmerhand
wurden für eine rasch und problemlos wachsende Wirtschaft

entworfen. Nicht das bestehende, nur das zuwachsende Produktivvermögen sollte gerechter verteilt werden. Dazu wurden Dutzende von Modellen und ebenso viele Beweise erarbeitet, warum diese Modelle nicht funktionieren. Die Modelle hatten eines gemein: Vermögensbildung sollte nicht Erträge und Liquidität der Unternehmen zusätzlich belasten, sondern Anteile des Produktivvermögens – also im Normalfall Aktien – in die Hände von Arbeitnehmern übergehen lassen. Es ist bekanntlich für Erträge und Liquidät eines Unternehmens unerheblich, wem die Aktien gehören.

Die Unternehmer und ihre Presse haben dieses Konzept dadurch unterlaufen, daß sie die geplanten Verschiebungen im Vermögensbereich einfach den steuerlichen Belastungen zurechneten und die Addition beider für unzumutbar erklärten. Daß sie damit implizit Zweck und Ziel der Vermögensbildung ablehnten, haben sie selbst sicherlich besser gewußt als viele, die ihre Belastungsrechnungen übernahmen. Ob dies klug war, wird sich zeigen.

Als sich auch Karl Schiller diese Art der Rechnung zu eigen machte und im Sommer 1971 die Vermögensbildung vom Kabinettstisch fegte, war zu befürchten, daß daraus nichts mehr werden konnte: Für die sechste Legislaturperiode des Bundestages gab es keine Chance mehr, und in der siebten hatten die Arbeitnehmer andere Sorgen. Im übrigen erweist sich die Materie, über die seit zwanzig Jahren diskutiert wird, für die Administration als so komplex, daß ein Gesetzgebungsverfahren wohl auch im achten Bundestag nicht möglich ist.

Es ist nicht realistisch, anzunehmen, daß sich ein Konzept, dessen Verwirklichung in zwei dafür geeigneten Jahrzehnten nicht gelang, sich in einem dafür wesentlich weniger geeigneten durchsetzen wird. Die letzte Sternstunde der Vermögensbildung war 1971, ob eine neue kommen wird, darf man bezweifeln.

Vermögensbildung war nie gedacht als Alternative zur sozialen Sicherung. In einer Zeit rascher Strukturveränderungen in unserer Wirtschaft und damit permanenter Unsicherheit vieler Arbeitsplätze dürften die Arbeitnehmer nicht dafür auf die Barrikaden gehen, daß ihnen vom Ende der siebziger Jahre an durch ein umständliches Verfahren Anteile am Produktivvermögen zufließen, mit denen sie auch 1990 noch nicht allzuviel anfangen können.

In den nächsten Jahren wird die Sicherung der Arbeitnehmer vor und bei Arbeitslosigkeit, die Absicherung ihrer Einkommen beim Wechsel des Arbeitsplatzes, der Abbau der extremsten Einkommensunterschiede, aber auch Mitwirkung und Mitbestimmung im Betrieb Vorrang haben vor der Vermögensbildung. Für die Frage, ob und wie in einer marktwirtschaftlichen Ordnung die Vermögen gerechter zu verteilen sind, könnte uns die Denkpause nicht schaden, für die sich Helmut Schmidt entschieden hat.

Es ist zu hoffen, daß die nächste Bundesregierung nicht auf Lösungen ausweicht, die direkt (Sparförderung) oder indirekt (624-DM-Gesetz) die öffentlichen Haushalte belasten. Ein Staat, der alljährlich 5 Milliarden DM seinen Bürgern auf ihr Sparkonto überweist und auf weitere 4 Milliarden Steuern verzichtet (1975), wenn Arbeitgeber ihren Arbeitnehmern vermögenswirksame Leistungen überweisen, macht keine gute Figur, wenn er sich gleichzeitig außerstande erklärt, dringend nötige Dienstleistungen zu finanzieren, die zu seinen unmittelbaren Pflichten gehören. Deshalb ist es nicht ratsam, das 624-DM-Gesetz in ein 936-DM-Gesetz umzuwandeln. Entweder man hat den Mut, Anteile des Produktivvermögens den Arbeitnehmern zu übertragen, oder man hat ihn nicht.

III

In seiner Analyse der Fiskalkrise in den meisten Industrieländern gibt James O'Connor zwei Gründe an, warum die Personalkosten in den öffentlichen Haushalten auf eine gefährliche Weise ansteigen: »Zum einen ist der Produktionszuwachs relativ gering, und so muß ein steigender Anteil der gesamten Produktivkräfte in den staatlichen Sektor fließen, um ein gleichbleibendes Niveau der staatlichen Leistungen pro Einheit des Produktionszuwachses aufrechtzuerhalten. Zum andern sind die Löhne relativ hoch und steigen auch relativ schnell. Sie sind hoch, weil viele, wenn nicht die meisten staatlichen Leistungen gelernte und fachlich erfahrene Arbeitskräfte erfordern. Und sie steigen schnell, weil die Steigerungsraten tendenziell mit dem Produktivitätszuwachs im Monopolsektor verknüpft sind.«[44]

In der Bundesrepublik kam jener Faktor der Macht hinzu, auf den Galbraith hinweist: Kaum bemerkt von der Öffentlichkeit, wurden sogenannte Strukturverbesserungen durchgesetzt, die, zusammen mit den üblichen linearen Anhebungen, zu einem überproportionalen Ansteigen der Einkommen im öffentlichen Dienst geführt haben.[45]

Es ist richtig, daß die akute Finanzklemme in mancher Kommune und mancher Behörde heilsam gewirkt hat. Es ist gut, daß die Diskussion über Stellenkegel und Beförderungsrhythmen, über Effizienz und Schwerfälligkeit bürokratischer Apparate heute nicht mehr auf resignierende Expertenzirkel beschränkt ist. Trotzdem: Wenn sich unangemessene Forderungen des öffentlichen Dienstes nur noch mit dem Hinweis auf gähnend leere Kassen zurückschrauben ließen, so wäre dies eine Bankrotterklärung jeglicher Politik. Brauchten wir wirklich den bettelarmen Staat, damit die Beamten nicht zu reich werden, so wäre dies ein Armutszeugnis für die parlamentarische Demokratie und die politischen Parteien, wie es bissiger auch unsere geschworenen Gegner nicht formulieren könnten. Es ist reichlich billig, wenn politisch Verantwortliche heute darüber jammern, der Staat sei zum Selbstbedienungsladen der Beamten geworden. Irgend jemand muß dies doch wohl zugelassen haben. Es waren die Länderparlamente – unabhängig von den jeweiligen Mehrheitsverhältnissen –, die vor jeder Wahl irgendeine Gruppe höherstuften, was zwangsläufig die Empörung einer anderen Gruppe wachrief, die dann vor der nächsten Landtagswahl in einem andern Lande ihren Durchbruch erzielte. Es war der auf Sparsamkeit bedachte Karl Schiller, der entschied, daß drei Viertel aller Ministerialräte der Bundesregierung nach B 3 bezahlt werden.

Der deutsche Beamte hat in den letzten drei Jahrzehnten fast alle Privilegien aus dem Obrigkeitsstaat behalten und die Rechte des modernen Arbeitnehmers hinzugewonnen. Seine Besoldung kann sich mit entsprechenden Stellen in der gewerblichen Wirtschaft sehr wohl messen. Dazu hat er ein Maß an Sicherheit, das dem Arbeitnehmer der Wirtschaft fehlt, und seine – immer zahlreicheren – Beförderungen sind nur sehr teilweise von Leistungen abhängig. Wenn ein mittelmäßiger Oberregierungsrat nur um drei oder auch sechs Monate später Regierungsdirektor wird als ein besonders tüchtiger, dann darf man sich nicht wundern, wenn der Anreiz zu überdurchschnittlicher Leistung gering bleibt. Wer Reform des öffentlichen Dienstes sagt, muß für ein Laufbahnrecht eintreten, bei dem nichts auf Dauer ersessen werden kann, bei dem der Befähigungsnachweis nicht nur einmal, sondern immer von neuem in der praktischen Arbeit erbracht werden muß. Ob dies in der Form geschehen soll, daß die Bestellung auf Lebenszeit sich nur auf die jeweilige Eingangsstufe bezieht oder zur Eingangsstufe nur widerrufbare Zulagen gewährt werden, ist unerheblich.

Wie dringend eine Reform des öffentlichen Dienstes ist, wird unabhängig vom Parteibuch jeder – zumindest unter vier Augen – bestätigen, der ein Ministerium oder eine größere Behörde geleitet hat. Hier liegt eine der entscheidenden Reformaufgaben, die keine große Partei ohne oder gar gegen die andere durchsetzen kann.

IV

Die Sanierung der öffentlichen Haushalte kann allerdings nicht warten, bis die Reform des öffentlichen Dienstes abgeschlossen ist oder der Anteil der Personalkosten an den Haushalten wieder sinkt. Man mag es drehen und wenden, wie man will: Mit einer Steuerlastquote, die – bereinigt – zwischen 22 und 23 Prozent des Bruttosozialprodukts pendelt, läßt sich die Bundesrepublik Deutschland noch nicht einmal ordnungsgemäß verwalten. Schuldaufnahmen der öffentlichen Hand in der Größenordnung von 70 Milliarden DM – 1000 DM pro Einwohner – in einem Jahr müßten, wenn sie nicht Ausnahme blieben, schon mittelfristig jede Regierung manövrierunfähig machen, weil Steuererhöhungen allein für die Verzinsung und Tilgung der Schulden unerläßlich würden. Eine automatische Erhöhung der Steuerquote durch Preis- und Lohnerhöhungen ist vorläufig nicht zu erwarten. Wenn die öffentliche Verschuldung in einem – auch der nächsten Generation gegenüber – verantwortbaren Rahmen gehalten werden soll, ist auch bei sparsamster Haushaltsführung ein Steueranteil von 26 Prozent (um die Wirkungen des Kinderlastenausgleichs bereinigt 25 Prozent) nicht zu umgehen. Auch bei einer solchen Steuerquote läge die Nettokreditaufnahme der öffentlichen Hände noch hoch genug.

Hier rächt sich, daß die Steuerreform schließlich unter dem Druck der Verbände in einen Wettbewerb der Parteien um populäre Steuersenkungen ausartete. Da keine Partei bereit sein wird, einen Kurswechsel in der Steuerpolitik mit einem »mea culpa« oder doch wenigstens »nostra culpa« zu verbinden, dürfte es politisch nicht durchsetzbar sein, bei den direkten Steuern auch nur die Abstriche rückgängig zu machen, die gegenüber den Eckwerten Karl Schillers gemacht wurden.

Aber nicht nur dieser politisch-taktische Gesichtspunkt, auch die ökonomischen Fakten zwingen, das Instrument der indirekten Steuern auszubauen. Wenn Konsum und Investition bei bestimmten Gütern gedrosselt werden muß, bietet sich als marktwirtschaftliches Mittel die differenzierte indirekte Steuer geradezu an.

Die Mehrwertsteuer wurde konzipiert in einer Zeit, wo von Steuerung, Differenzierung oder gar Bremsung von Wachstum nicht die Rede sein konnte. Sie sollte für den Fiskus einträglich, beim Grenzausgleich leicht handhabbar sein. Alle Waren und Dienstleistungen mit demselben Steuersatz zu belegen war aber schon 1968 nicht möglich. So einigte man sich auf den halben Satz für den Bereich von Nahrungsmitteln, Kultur und einigen Dienstleistungen, was übrigens bei den Lebensmitteln inzwischen zu Manipulationen mit dem Vorsteuerabzug geführt hat, die für die Landwirtschaft wesentlich günstiger sind als eine Befreiung von der Steuer.

Jetzt wäre der Zeitpunkt, einen dritten (doppelten) Mehrwertsteuersatz einzuführen für solche Güter, deren Produktion nicht im Interesse des Allgemeinwohls liegt. Dazu könnten Personenkraftwagen mit weit überdurchschnittlichem Benzinverbrauch, Elektrogeräte mit übermäßigem Stromverbrauch, aber auch Kunststoffe und Kunststoffprodukte gehören, deren Beseitigung extrem hohe Kosten verursacht. Zu denken wäre auch an Verpackungsmaterial, das vor allem die Müllbeseitigung beschäftigt, an umweltschädliche Wasch- und Reinigungsmittel, aber auch an Pelze von seltenen oder selten gewordenen Tieren.

Natürlich ergeben sich in solchen Fällen Abgrenzungsschwierigkeiten, die gerne als prohibitiv dargestellt werden. Aber wahrscheinlich ließen sich Kriterien erarbeiten, die weniger willkürlich wären als die für eine Luxussteuer – und auch solche lassen sich in andern Ländern finden.

Für die Administration ist eine generelle Erhöhung der Mehrwertsteuer wesentlich bequemer, und wahrscheinlich ist auch sie nicht zu umgehen. Aber wer Steuerung und Differenzierung von Wachstum und Konsum will, kann nicht das wirksamste und einfachste Mittel der Steuer zum Tabu erklären.

Die notwendige Steuerharmonisierung innerhalb der Europäischen Gemeinschaft ist kein Gegenargument. Andere Länder der Europäischen Gemeinschaft haben bereits eine stärker differenzierte Mehrwertsteuer, und sie werden davon wohl auch nicht abgehen. Die Richtlinien der Europäischen Gemeinschaft sehen ausdrücklich vor, daß »bestimmte Lieferungen und bestimmte Dienstleistungen ... erhöhten oder ermäßigten Sätzen unterworfen werden« können.[46]

Im übrigen ist auch die Abgrenzung zwischen dem Normalsatz und dem halben Satz nicht unantastbar. Es könnte eines
Tages durchaus sinnvoll sein, bestimmte Lebensmittel mit dem
vollen Satz zu belegen (siehe das folgende Kapitel).

Ein anderer Ansatzpunkt sind die Verbrauchssteuern auf Alkohol und Nikotin. Die Ausgaben für Tabakwaren lagen in der
Bundesrepublik Deutschland 1975 bei rund 15,9 Milliarden DM
(rund 264,- DM pro Kopf), die für Alkohol bei rund 30 Milliarden DM (rund 484,- DM pro Kopf), zusammen also bei 45,9
Milliarden DM.[47] Es soll hier nicht aufs neue der Streit darüber
entfacht werden, ob die Steuern auf Tabak und Alkohol auch nur
die Kosten aufwiegen, die durch Schäden aus diesen Genußmit-
teln dem Fiskus entstehen. Sicher ist, daß Produkte, bei denen die
Steuer den größten Teil des Preises ausmacht, an der allgemeinen
Teuerung nur unterproportional teilnehmen, wenn die Steuer
auf Jahre hinaus dieselbe bleibt. Und es gibt zumindest keinen
Grund dafür, warum etwa Zigaretten im Vergleich zu Brot oder
Milch billiger werden sollten.

V

Haushaltspolitik wurde in den letzten Jahren überwiegend unter
konjunkturpolitischen Gesichtspunkten betrieben. Obwohl die
Zuwachsrate des Bundeshaushalts von rechts bis links als
entscheidender Indikator für die Konjunkturpolitik gewertet
wurde, gibt es keinen Beweis dafür, daß in den letzten 25 Jahren
die Inflationsraten von diesen Zuwachsraten abhingen. Meist
ging es beim Feilschen um Promille des Gesamthaushalts gar
nicht um Konjunkturpolitik, sondern um Konjunkturoptik, bestenfalls um Konjunkturpsychologie. Der jeweilige Finanzminister wollte sich nicht nachsagen lassen, er habe durch eine überproportionale Steigerungsrate die Inflation geschürt. Er beugte
sich einem Dogma, an das er selbst oft nicht glaubte. In jedem
Jahr wurden mit konjunkturpolitischen Argumenten Haushalte
zusammengestrichen, sei es, weil die Konjunktur zu gut, sei es,
weil sie zu schlecht war; im Boom, um die Konjunktur zu
bremsen, in der Rezession, weil die Steuern nicht mehr flossen.
Und dies galt auch da, wo nachweislich keine unerwünschten
konjunkturellen Wirkungen zu erwarten waren, weil die Ausgaben ganz oder überwiegend im Ausland getätigt wurden.

Das – unbewiesene und bei wachsender Vermachtung der

Märkte auch unbeweisbare – Dogma, daß die absolute Höhe des Staatshaushalts über monetäre Stabilität oder Instabilität entscheide, stranguliert jede mittelfristig angelegte Politik. Dabei ist es ökonomisch nicht erheblich, ob man durch Steuern an der einen Stelle Kaufkraft abschöpft, um sie an der anderen einzusetzen. Ökonomisch erheblich ist, wie ein Haushalt finanziert wird und zu welchen Ausgaben er führt. Ein ganz durch Steuern finanzierter Haushalt mit hoher Zuwachsrate würde die Stabilität weniger gefährden als ein Haushalt ohne jede Zuwachsrate, der zu einem erheblichen Teil aus Krediten oder gar Geldschöpfung finanziert wird. Dies gilt besonders in einer Zeit, wo hohe öffentliche Kreditaufnahme ausländische Anleger anlocken muß. Ein wachsender Teilhaushalt, der Nachfrage mehr auf fremden Märkten als auf dem heimischen schafft, kann sogar dämpfend auf die nationale Konjunktur wirken.

Wenn Ressourcen knapp werden und wirtschaftliches Wachstum gegen Null tendiert, werden auch die öffentlichen Investitionen davon betroffen. Manches Prestigeprojekt wird dem Rotstift des Stadtkämmerers oder des Finanzministers zum Opfer fallen, und das ist gut so. Relativ zum privaten Konsum aber müssen die öffentlichen Investitionen nicht sinken, sondern steigen. Knappheit der Ressourcen bedeutet, daß in einem mittelfristigen Verkehrskonzept nicht nur die Kosten des Transports, sondern auch der Energieverbrauch zählen muß, und der ist eben beim öffentlichen Nahverkehr geringer als beim Auto. Wenn Knappheit der Ressourcen bedeutet, daß das beheizte Schwimmbad mit Sauna für jedermann nicht möglich ist, dann müssen eben genügend öffentliche Bäder und Saunen zur Verfügung stehen, auch wenn ihre Unterhaltung teuer ist.

So heilsam Finanzknappheit an manchen Stellen sein mag, die Parole, das Geld sei beim Bürger immer besser aufgehoben als bei der öffentlichen Hand, war objektiv noch nie so falsch wie heute.

Während es in keinem Fall möglich sein wird, auf dem Wege des privaten Konsums die Lebensqualität des einzelnen über ein bestimmtes – oft schon erreichtes – Maß hinaus zu verbessern, werden Kommunen, Länder und Bund alle Hände voll zu tun haben, um an der einen Stelle die Verschlechterung der Lebensbedingungen zu verhindern, an der anderen eine Verbesserung durchzusetzen.

Für die Haushaltspolitik müßte also gelten:
– Die Ausgabenseite des Haushalts muß sich orientieren an der kontinuierlichen Bewältigung der öffentlichen Aufgaben.

- Die Ausgabenseite der Haushalte kann daher nur insofern konjunkturpolitischen Erwägungen unterliegen, als die einzelnen Ausgaben verschiedene konjunkturelle Wirkungen haben.
- Spürbare konjunkturelle Impulse können allenfalls über die Einnahmeseite des Haushalts ausgelöst werden.
- Dies ist nur möglich, wenn in Zeiten guter Konjunktur die Haushalte fast ausschließlich über Steuern und Gebühren finanziert werden.
- Dazu ist eine Erhöhung der Steuerquote um 2 bis 3 Punkte unausweichlich.
- Diese Erhöhung muß gekoppelt werden mit dem Versuch, über gezielte indirekte Steuern Konsum und damit auch Investitionen zu lenken.
- Gleichzeitig muß die stärkere Belastung des Bürgers da abgestoppt werden, wo sie in den letzten Jahren entstanden ist: bei den Sozialversicherungen, insbesondere der Krankenversicherung.
- Die realen Steigerungsraten der Renten, die seit 1957 tendenziell über der Steigerungsrate der Löhne und Gehälter liegen, müssen den realen Steigerungsraten der aktiv Beschäftigten angeglichen werden.

8. Kapitel:
Strukturpolitik, Arbeitsplätze

I

Es ist weder dem Zufall noch der Laune von Ideologen zuzuschreiben, wenn in den letzten Jahren immer intensiver über Methoden und Instrumente wirtschaftlicher Strukturpolitik, über direkte und indirekte Lenkung von Investitionen nachgedacht wurde. Die meisten Fachleute, die sich an diesem Nachdenken beteiligten, wußten sehr wohl, worauf sie sich eingelassen hatten: auf eines der dornigsten Themen moderner Politik. Die Einwände liegen auf der Hand: Wie sollen Investitionen von anderen Kräften als denen des Marktes in einer Wirtschaftsordnung gelenkt werden, die dem Unternehmer mit der Freiheit der Investitionsentscheidung auch die Verantwortung für die wirtschaftlichen Folgen seiner Investition auferlegt? Wer kann Marktchancen besser einschätzen als der Unternehmer? Soll dazu etwa eine neue Bürokratie aufgebaut werden?

Wenn solchen Einwänden zum Trotz das Thema nicht zu den Akten gelegt wurde, zeugt dies für seine Dringlichkeit. Die herkömmliche Arbeitsteilung der Weltwirtschaft, wonach es Länder gibt, die Rohstoffe liefern, und solche, die sie verarbeiten, bricht rasch zusammen. Sie hatte dazu geführt, daß die Industrieländer sowohl die Preise für Rohstoffe als auch die für Industriegüter und damit auch, zumindest gegenüber den Rohstoffländern, den Wert der Arbeitskraft bestimmt hatten, die aus den Rohstoffen Industrieerzeugnisse machte.

Einfuhrzölle, die mit jeder Verarbeitungsstufe anstiegen und für Fertigwaren häufig prohibitiv waren, sicherten diese Arbeitsteilung, die von den Entwicklungsländern um so mehr als Ausbeutung empfunden und bekämpft wurde, je drastischer sich die Bedingungen des Handels, die Terms of trade, zu ihren Ungunsten verschoben, je billiger also im Vergleich zu den Fertigwaren die Rohstoffe wurden.[48]

Daran hat sich zweierlei geändert: Einmal gibt es einige wenige Rohstoffe, die, allen voran das Öl, im Preis rasch gestiegen sind. (Andere sind inzwischen wieder rasch gefallen.) Zum anderen treten die sogenannten »Billiglohnländer«, darunter viele Entwicklungsländer, zunehmend als industrielle Konkurrenten auf, vor allem bei Waren, die ohne viel Kapital und hochgezüchtete Technologie arbeitsintensiv erzeugt werden können.

Die Bundesrepublik Deutschland wird von diesem Vorgang aus mehreren Gründen besonders betroffen: Feste Wechselkurse hatten bis 1971 dazu geführt, daß die Deutsche Mark unterbewertet, der Export aus der Bundesrepublik begünstigt, der Import erschwert wurde. Daher entstand bei uns eine Ballung industrieller Produktionskraft, die eine große Zahl ausländischer Arbeiter anlockte. Kein vergleichbares Land hat einen so hohen Anteil der Industrie am Sozialprodukt wie die Bundesrepublik. Jetzt, wo der Kurs der Mark sich am Markt bildet, erweist sich, daß in manchen Industriezweigen Überkapazitäten entstanden sind.

Nachdem die Europäische Gemeinschaft dazu überging, die Zölle für Fertigwaren aus Entwicklungsländern abzubauen, nachdem der Handel mit Osteuropa nur noch ausgeweitet werden kann, wenn auch von dort mehr Industrieprodukte eingeführt werden, nimmt der Prozeß der Umstrukturierung in unserer Wirtschaft ein Tempo an, das viele beunruhigt und erschreckt. Dazu kommt, daß im Bausektor und in der Automobilbranche der Markt nahezu gesättigt ist.

Kommen zu solchen Strukturkrisen auch noch konjunkturelle Rückschläge, so verstärken sich beide gegenseitig: der konjunkturelle Rückschlag bringt Strukturschwierigkeiten ans Licht, die in der Hochkonjunktur unbemerkt blieben; die strukturelle Umschichtung vertieft die Rezession. Ein Beispiel: die Textil- und Bekleidungsindustrie. Seit Beginn der siebziger Jahre sah sie sich zunehmend der Konkurrenz billiger Baumwollerzeugnisse aus Entwicklungs-und Ostblockländern ausgesetzt. Aber erst als eine rigorose Hochzinspolitik zum Zweck der Konjunkturdämpfung die Kapitalkosten hochtrieb, häuften sich die Konkurse. Inzwischen sind diese Industrien nicht nur geschrumpft – im März 1976 arbeiteten dort nur noch 623 000[49] Arbeitnehmer, im September 1969 waren es 891 000[50] – sie haben sich auch umgestellt auf qualitativ hochwertige modische Artikel, mit denen sie nicht nur den heimischen Markt behaupten, sondern zunehmend in fremde Märkte eindringen können. Nach diesem Modell dürften sich auch andere Umstrukturierungen vollziehen: Nicht ganze Branchen, sondern einzelne Fertigungen innerhalb einer Branche werden verschwinden. Dabei ist es nicht entscheidend, ob deutsche Firmen Produktionen verlagern oder einfach aufgeben. In jedem Fall werden die bei uns nicht mehr produzierten Güter oder Halbfertigwaren importiert werden müssen. Und in jedem Fall wird anderswo Nachfrage nach Investitionsgütern entstehen, die bei uns wieder Arbeitsplätze schaffen kann.

II

Die Frage nach einer wirksameren Strukturpolitik läßt sich auch so formulieren: Müssen wir es hinnehmen wie Blitz oder Hagelschlag, daß in unserer Wirtschaft immer wieder, wie in der Automobil- oder Baubranche, überschüssige Kapazitäten aufgebaut werden, die dann, unter beträchtlichen Opfern für die Arbeitnehmer, überstürzt wieder abgebaut werden müssen, meist in einer Zeit ohnehin unsicherer Arbeitsplätze? Ist es völlig unmöglich, Marktsättigungen oder Einwirkungen vom Weltmarkt her so frühzeitig vorauszusehen, daß weniger Ressourcen vergeudet und rechtzeitig neue Arbeitsplätze geschaffen werden können? Sollten wir wirklich nicht in der Lage sein, heute zu sagen, welches in den nächsten zwei oder vier Jahren die wachsenden, welches die stagnierenden, welches die umzustrukturierenden und welches die schrumpfenden Branchen sein dürften? Und ist es verboten, sich Gedanken darüber zu machen, ob es nicht auch Produktionen gibt, deren Wachstum oder deren Schrumpfung im Allgemeininteresse liegt, etwa, weil ihre Produkte die Umwelt unterdurchschnittlich oder überdurchschnittlich belasten oder weil sie besonders wenig oder besonders viel Energie verbrauchen?[51]

Für die meisten, die darüber nachgedacht haben, ist heute unstrittig, daß der Markt als Steuerungsinstrument für Investitionen nicht ersetzbar ist, also eine totale Angebotssteuerung durch die öffentliche Hand nicht funktionieren kann. Keine staatliche Stelle kann verordnen: soviel Autos, Möbel oder Bücher werden produziert. Eine solche totale Angebotssteuerung, darauf hat Heinz Rapp[52] mit Recht verwiesen, ließe sich nicht einmal mit dem freien Tarifvertrag vereinbaren. Thomas von der Vring warnt: »Interventionen des Staates, die die Entscheidungsfreiheit der Unternehmer zwar aufheben, deren Wirtschaften gleichwohl vom Markt abhängig lassen, werden einen wirtschaftlich nicht durchhaltbaren ... Widerspruch provozieren.«[53]

Daß es ohne Steuerung durch den Markt nicht geht, leuchtet ein. Daß es allein mit der Marktsteuerung nur um den Preis schwerer Erschütterungen geht, erleben wir gegenwärtig. Daher plädiert Rapp für die »selektive Angebotssteuerung«. Und dies ist letztlich auch die Position, die sich im zweiten Entwurf eines ökonomisch-politischen Orientierungsrahmens für die Jahre 1975 bis 1985 durchgesetzt hat: »Der Markt ist ein gegenwartsbezogenes Instrument der Produktionsabstimmung, auf zukünftige Entwicklungen stellt er sich nur insofern ein, wie sich diese schon in der absehbaren Nachfrageentwicklung niederschlagen. Deshalb kann die Entwicklung zukunftsträchtiger Branchen oder die Schrumpfung bestimmter Produktionen nicht allein den Marktkräften überlassen bleiben.«[54]

Wo das Ob nicht mehr umstritten ist, beginnt die Frage nach dem Wie, die Suche nach den Instrumenten. Dabei stellen wir fest, daß es schon eine große Zahl von Instrumenten gibt, die wir entweder gar nicht oder unkoordiniert nutzen. Rapp weist darauf hin, daß schon im Stabilitäts- und Wachstumsgesetz der Großen Koalition die Bundesregierung den Auftrag erhielt, mehrjährige Bedarfsschätzungen und Investitionsprogramme für den staatlichen Bereich vorzulegen, auch für die Finanzierungshilfen des Bundes für »Investitionen Dritter« (§ 10). Diese mehrjährigen Investitionsprogramme sind nach geltendem Recht in Dringlichkeitsstufen zu gliedern und zu einem Gesamtprogramm zusammenzuführen.

Man mag auch bestreiten, ob der Bund bislang die Einflußmöglichkeiten auf die Kreditanstalt für Wiederaufbau so genutzt hat, wie es ihm nach dem Gesetz zustände.

Ähnlich steht es mit der Steuerpolitik: Bisher gibt es zwar steuerliche Investitionshilfen, aber schon der Gedanke, man könne die Investitionssteuer auch nur zeitweise nach Sektoren differenzieren, stößt auf erbitterten Widerstand, weil dadurch ein Mittel der Globalsteuerung strukturpolitisch genutzt werden soll.

Auch wenn man, um Investitionen von bestimmten Branchen abzuhalten, den Mehrwertsteuersatz statt zweifach in Zukunft dreifach differenziert, ist dies kein neues Instrument, sondern die vernünftige Anwendung eines längst bestehenden.

Es gibt heute schon die Anzeigepflicht für Investitionen je nach Umfang, Art oder Standort. Es gibt Investitionsauflagen, z. B. unter Gesichtspunkten des Baurechts oder des Umweltrechts. Es gibt örtlich sogar Investitionsverbote in Form von Ansiedlungsverboten.

III

Fragt man, warum vorhandene Werkzeuge bislang so wenig eingesetzt wurden, so stößt man auf zwei Hindernisse. Zum ersten auf die Schwierigkeiten in der Prognose. Sie liegen nicht nur darin, daß eine Unzahl von Faktoren, die gegenseitig aufeinander einwirken, jede Prognose riskant machen, sondern auch in der Qualität unseres Instrumentariums. Daher fordert der Entwurf zum Orientierungsrahmen: »Die vordringliche Aufgabe besteht in einem systematischen Ausbau des Instrumentariums zur wirtschaftlichen Diagnose und Prognose und in einer Verbesserung der öffentlichen Planungsorganisation. Mit Hilfe besserer und stark differenzierter Prognosen der mittel- und langfristigen Entwicklung wird das schon bestehende Instrumentarium erfolgreicher eingesetzt und die Voraussetzung für den sinnvollen Einsatz neuer Instrumente geschaffen.«[55]

Und an anderer Stelle: »Sektoral differenzierte Statusquo-Prognosen sollen unter Einbeziehung der voraussichtlichen Entwicklung der internationalen Arbeitsteilung über die Entwicklungschancen der einzelnen Sektoren und über evtl. drohende strukturelle Schwierigkeiten Auskunft geben.

Auf dieser Grundlage entwickelte Prognosen können Voraussetzungen für einen Orientierungsrahmen der privaten Wirtschaft und für eine Programmierung der Strukturpolitik liefern.«[56]

So undankbar die Aufgabe ist, Prognosen zu stellen: wenn wir davor kapitulieren, brauchen wir von Strukturpolitik nicht mehr zu sprechen. Sie ist dann allenfalls ein Hinterherkeuchen hinter Krisenerscheinungen, eine Feuerwehr, die erst eintrifft, wenn vom brennenden Gebäude nicht mehr viel zu retten ist. Im übrigen: Auch ökonomische Laien konnten sehen, daß die Baubranche übersetzt war. Es gehörte kein Sachverstand dazu, einzusehen, daß in der Bundesrepublik nicht in dem Tempo weitergebaut werden konnte, an das wir uns nach dem Zweiten Weltkrieg gewöhnt hatten. Und es gehörte schon 1972 keine Prophetengabe zu der Prognose, daß die Wachstumsraten der Automobilindustrie einmal auslaufen würden.

Das zweite Hindernis liegt darin, daß wir uns im Grunde nicht darauf einigen können, was wir wollen. Es kommt darauf an, ob wir wirklich wollen, was Thomas von der Vring »die öffentliche Beeinflussung der Qualität der Produktion im Interesse der Verbraucher« nennt. Dem wäre hinzuzufügen: nicht nur im unmittelbaren Interesse der Verbraucher, sondern auch im Interesse der natürlichen Lebensgrundlagen, auf die diese Verbraucher und ihre Kinder angewiesen sind. Wollen wir einfach »Wachstum«, ganz gleich, wo, wie und mit welcher Wirkung auf die Lebensqualität es vor sich geht, oder wollen wir die Rohstoffnutzung verbessern, Energie sparen, Umwelt schonen, weniger gesundheitsschädliche Arbeitsplätze schaffen, »weicheren« Technologien eine Chance geben? Solange zumindest in den zuständigen Bürokratien des Bundes und der Länder überwiegend Wachstum schlechthin angesteuert wird, ist der Streit um Instrumente qualitätsorientierter Strukturpolitik müßig. Sobald wir uns entschließen können, nach den Qualitäten dessen zu fragen, was da wachsen oder auch schrumpfen soll, lassen sich die alten Instrumente einsetzen, und neue werden sich anbieten.

IV

Etwas anders liegt es bei der regionalen Strukturpolitik. Es gibt Bundesländer wie Baden-Württemberg, wo seit mehr als zwanzig Jahren von fähigen Beamten Landesplanung betrieben wird. Sie hat sich schließlich in einem Landesentwicklungsplan verdichtet, dem im Sommer 1971 vom Landtag gesetzliche Verbindlichkeit verliehen wurde. Der zuständige Innenminister, der mit viel Fleiß und Geduld diesen Landesentwicklungsplan über unzählige Hürden gebracht hat, schreibt in einem Vorwort dazu, dieser Plan unterscheide sich von anderen »Planwerken« durch seine »gesetzlich begründete Verbindlichkeit für alle öffentlichen Stellen«.

Aber eben: nur für alle öffentlichen Stellen, und auch dem Selbstverwaltungsrecht der Gemeinden ist dadurch nur ein weiter Rahmen gesetzt. Der Staat kann Bauleitplänen die Genehmigung verweigern. Wer heute durchs Land fährt, wird feststellen, daß die wirkliche Entwicklung sich wenig um den Landesentwicklungsplan gekümmert hat. Da wurde in den Ballungsgebieten munter weiter verdichtet, die Randgebiete haben sich weiter entleert, Einkaufszentren sind auf die grüne Wiese gebaut worden, Innenstädte veröden. Offenbar fehlt es an Instrumenten, das als richtig Erkannte auch durchzusetzen.

Wahrscheinlich werden wir ohne Flächensteuerung nicht durchkommen, eine Steuerung also, die eine weitere Ansiedlung bestimmter Produktionszweige in klar abgegrenzten Ballungsräumen grundsätzlich verbietet. Dies engt den Entscheidungsspielraum des Investors drastisch ein, aber es hebt seine Entscheidungsfreiheit nicht auf. Der Staat stellt fest, wo was investiert werden kann. Der Unternehmer selbst entscheidet, ob und wo er investiert.

Regionale Strukturpolitik ist zu einem guten Teil Verkehrspolitik. Das Schlüsselwort dafür lautet seit Jahrzehnten: Erschließung. Das Ziel dieser Erschließung wird in den Entwicklungsplänen meist in der Weise formuliert, das Gebiet sei so »in seiner Entwicklung zu fördern, daß es am allgemeinen wirtschaftlichen, sozialen und kulturellen Fortschritt teilnimmt«. Dieser Fortschritt wird meist als Abfallprodukt von Industrialisierung verstanden, und dies in einem Land, das ohnehin einen gefährlich überhöhten Industrialisierungsgrad erreicht hat.

Wer fragt eigentlich, ob z. B. das Bodenseegebiet demnächst nicht so gründlich erschlossen wird, daß da schließlich für den Urlauber nichts mehr zu erschließen ist? Es gibt eine Art der Erschließung, die den Charakter des Erschlossenen zerstört, einer Region den Atem nimmt. Unter diesem Aspekt wären die Verkehrsplanungen der späten sechziger Jahre zu überprüfen, wo dies noch möglich ist. Dabei wäre zu bedenken, daß Straßen und Autobahnen immer gebaut, Landschaften aber nur einmal und dann für immer zerstört werden können. Gleichwertigkeit der Lebensverhältnisse ist nicht gleichförmige Industrialisierung. Es kann durchaus Regionen geben, wo das Lohnniveau unerheblich niedriger, die Lebensqualität erheblich höher liegt als anderswo. Nicht nur für Entwicklungsländer, auch für uns selbst brauchen wir einen neuen Begriff von »Entwicklung«.

V

Es wäre wenig realistisch, wollten wir aus diesen Überlegungen die multinationalen Konzerne ausklammern. Sie sind nicht die Ausgeburt des Bösen, aber sie sind Machtfaktoren, die dafür sorgen können, daß manche einleuchtende Rechnung nicht aufgeht.

Wie die Multinationalen unempfindlich sind gegen höhere Löhne, solange sie die Preise diktieren können, gegen höhere Zinsen, solange sie sich außerhalb der nationalen Grenzen mit Kapital versorgen können, gegen nationale Konjunkturpolitik, solange sie international disponieren können, so sind sie auch in hohem Maße unempfindlich gegen nationale Wettbewerbspolitik, solange sie Märkte beherrschen, und gegen nationale Strukturpolitik, solange sie sich Auflagen oder Steuern durch Verlagerung von Investitionen oder Gewinnen entziehen können.

Die Macht der multinationalen Unternehmen beruht nicht so sehr auf ihrer Größe als auf ihrer internationalen Struktur. Gewerkschaften, Regierungen, Kontrollapparate, Wettbewerbsordnungen sind auch heute noch national organisiert. Daher haben die Multinationalen keinen ebenbürtigen Gegenspieler. In Entwicklungsländern kann dies dazu führen, daß multinationale Konzerne unmittelbar Regierungen stützen oder stürzen können, auch wenn nicht alle Multinationalen so hemdsärmlig eingreifen wie ITT. In Industrieländern können sie sehr wohl Gesetze beeinflussen, und wenn ihnen dies nicht gelingt, auch Gesetze ignorieren.

Die Multinationalen bestimmen auch sehr weitgehend die Richtung des technischen Fortschritts und damit auch der Strukturveränderungen. Die Hälfte aller in der Bundesrepublik ausgegebenen Forschungsmittel werden von der Privatwirtschaft, überwiegend von Großkonzernen aufgebracht, 60 Prozent aller Forschungsmittel werden im Wissenschaftsbetrieb der Unternehmen verwendet, da auch staatliche Mittel für die Forschung der Industrie zur Verfügung gestellt werden.[57]

Gerät ein multinationaler Konzern – und dazu gehört heute auch VW – in Schwierigkeiten, so ist wiederum die nationale Strukturpolitik gezwungen, einzugreifen. Auch wenn die Multinationalen sich nationaler Strukturpolitik entziehen können, sie können sehr wohl nationale Strukturprobleme schaffen.

Weder eine Fülle von Untersuchungen und Anhörungen noch eine Studiengruppe der Vereinten Nationen hat bislang zu diesem Thema etwas vorgeschlagen, was zugleich durchgreifend wirksam und praktikabel wäre. Solange multinationales politisches Handeln auf allen Gebieten in Ansätzen steckenbleibt, dürfte sich dies kaum ändern. Es gibt Teilvorschläge, etwa den von Thomas von der Vring: »Der Staat muß erstens in der Lage sein, den Tatbestand der Marktbeherrschung ... so festzustellen, daß langwierige gerichtliche Prozesse ausgeschlossen werden. Er muß ferner in der Lage sein, solchen Unternehmen bestimmte Kalkulationsweisen und Verfahren der Preisbildung vorzuschreiben und deren Einhaltung zu erzwingen, ohne die juristische Beweislast zu haben. ...«[8]

Auch wenn angemessene Mittel gegen die Macht der multinationalen Unternehmen nur international zu schaffen sind, werden wir versuchen müssen, national zu tun, was national getan werden kann. Wenn auch nur die zitierten Anregungen durchzusetzen wären, die praktisch auf eine Stärkung der Befugnisse des Bundeskartellamtes hinauslaufen, so wäre dies ein beachtlicher Erfolg.

Ob es solche Erfolge gibt, ist weniger eine Frage der technischen Machbarkeit als der politischen und wirtschaftlichen Macht. Die Autorität des parlamentarisch-demokratischen Nationalstaates gegenüber seinen Bürgern wird nur zu retten sein, wenn der Bürger die Hoffnung nicht aufgeben muß, daß dieser Staat sich auch gegen Multinationale durchzusetzen weiß.

VI

Seit der Rezession 1974/75 wissen wir wieder, daß Vollbeschäftigung sich nicht von selbst ergibt. Aber die Rezepte, die wir dafür hören, stammen aus der Zeit vor der Zäsur. Es wird uns vorgerechnet, wie stark die Investitionen wachsen müßten, damit alle Arbeit haben. Nun wird niemand bestreiten wollen, daß ein hohes Maß an Investitionen nötig ist, wenn ein Land mit dem Einkommensniveau der Bundesrepublik sich auf internationalen

Märkten behaupten will. Nur: Eben weil Investitionen um der Konkurrenzfähigkeit willen nötig sind, müssen sie zu einem beträchtlichen Teil der Rationalisierung dienen, also mehr Arbeitsplätze wegrationalisieren als neue schaffen.

Rationalisierung hat es gegeben, seit die industrielle Revolution begann. Dafür wurden immer neue Arbeitsplätze geschaffen. Trotzdem ist es unwahrscheinlich, daß sich auch in Zukunft alles von selbst einspielt. In vielen Branchen werden wir die Produktivität aus Gründen der internationalen Konkurrenz rascher steigern müssen, als wir die Produktion aus Gründen der Marktsättigung steigern können. Es ist z. B. durchaus möglich, daß unsere Uhrenindustrie ihre Märkte einigermaßen behaupten kann. Aber dazu wird sie nicht einmal die Hälfte der Menschen beschäftigen können, die dort noch vor wenigen Jahren Arbeit fanden. Es wird ihr nicht gelingen, die Produktion in dem Maße zu steigern wie die Produktivität. Das heißt: Wir produzieren arbeitsfreie Zeit. Daher zielen alle Prognosen in dieselbe Richtung: Es wird weniger Arbeit im produzierenden Bereich geben. Dieser Vorgang wird in Jahren guter Konjunktur einigermaßen überdeckt, von Rezession zu Rezession aber wird er deutlicher sichtbar und dramatischer spürbar.

Soll daraus nicht wachsende strukturelle Arbeitslosigkeit werden, gibt es nur zwei Möglichkeiten: Die eine ist der Versuch, die verbleibende Arbeit gleichmäßiger zu verteilen, also generelle Arbeitszeitverkürzung, sei es in Form von weniger Wochenstunden, mehr Urlaub, längeren Ausbildungszeiten oder Herabsetzung des Rentenalters. Wer dies propagiert, will den Rationalisierungsfortschritt nicht mehr in Form höherer Löhne, sondern in Form von mehr Freizeit weitergeben. Dieser Effekt tritt in jedem Fall ein: bei weniger Wochenstunden mit oder ohne Lohnausgleich, aber auch bei längeren Ausbildungszeiten oder früherem Rentenalter, die von der kleiner werdenden Gruppe der Arbeitenden zu finanzieren sind, sei es über Steuern oder über höhere Beiträge zur Rentenversicherung. Dabei darf nicht vergessen werden: Kürzere Arbeitszeit in der Produktion führt auch zu kürzerer Arbeitszeit im öffentlichen Dienst, damit auch zu einem größeren Bedarf an öffentlich Bediensteten und zu höherer Steuerquote.

Die zweite Möglichkeit liegt in einer Umschichtung in Richtung auf mehr Dienstleistungen. Die Frage ist nur, in welche. Gerade die klassischen Dienstleistungen: Handel, Banken, Bausparkassen, Versicherungen, Verwaltungen, Büroberufe, Post und Bahn sind von einer Welle der Rationalisierung ergriffen. Es spricht wenig dafür, daß sie noch in der Lage wären, die Arbeitskräfte aufzunehmen, die in der Produktion freigesetzt werden. Wachsender Bedarf besteht bei den sogenannten Humandienstleistungen, vom Schulsport bis zur Berufsbildung, von Gesundheitsvorsorge und Gesundheitsberatung bis zur Altenpflege, von der Bewährungshilfe bis zur Wiedereingliederung von Behinderten, Drogen- und Alkoholsüchtigen, von der Erwachsenenbildung bis zur rechtzeitigen Erkennung und Heilung psychischer Schäden, von der Gemeinwesenarbeit bis zur ambulanten Krankenpflege. Dabei werden wir gerade in diesem Bereich zu einigen ganz neuen Berufsbildern kommen müssen.[59]

Das Argument, dies alles sei nötig, aber leider nicht zu bezahlen, übersieht zweierlei: Erstens geht es hier mittelfristig um die Alternative zur Arbeitslosigkeit, und es gibt nichts, was einer Gesellschaft so teuer zu stehen käme wie das Vergammelnlassen junger Leute, ganz abgesehen davon, daß jeder Arbeitslose heute die öffentlichen Hände etwa 20000 DM im Jahr kostet. Zum anderen kosten solche Leistungen nicht nur Geld, sie sparen es auch. Hätten wir mehr Schulpsychologen, so könnten wir ein Mehrfaches sparen bei den teuren psychiatrischen Landesanstalten, in die wir heute noch unsere psychisch Kranken abschieben.

Hätten wir mehr Bewährungshelfer, so könnten wir ein Mehrfaches sparen beim Strafvollzug, in den heute drei Viertel unserer Straffälligen zurückkehren. Hätten wir mehr Schulsport, so würde dies bei den Krankenkassen positiv zu Buche schlagen. Hätten wir mehr ambulante Krankenpfleger, so könnten wir manchen Tag im Krankenhaus sparen, der teurer ist als eine Übernachtung im Hilton-Hotel in New York. Hätten wir eine bessere Gesundheitsaufklärung, so könnten wir Milliarden für Medikamente und Ärzte sparen. Daß Investitionen in Berufsausbildung sich auszahlen, ist eine Binsenweisheit.

Auch das Argument, dies alles müsse zu einer Aufblähung der staatlichen Bürokratie führen, trägt nicht. Selbst da, wo öffentliche Finanzierung nötig ist, kann sie freien Trägern zur Verfügung gestellt werden.

Sicher: Wenn neue Dienstleistungen finanziert werden müssen, sei es über Preise am freien Markt, über Gebühren oder Steuern, so muß das aus dem Produktivitätszuwachs geschehen. Der Zuwachs der Realeinkommen wird dann überwiegend verwandt zur Finanzierung von Humandienstleistungen, nicht zur Steigerung des materiellen Konsums. Es wird dabei nur dies vergessen: Wächst die strukturelle Arbeitslosigkeit, so muß der Zuwachs verwendet werden für die Arbeitslosenversicherung, setzen wir das Rentenalter herab, für höhere Beiträge zur Altersversicherung, und auch die Herabsetzung der Wochen- oder Jahresstunden geht auf Kosten des materiellen Konsums.

Hier ist eine Weichenstellung fällig, und zwar rasch. Nicht, weil eine Ausdehnung der Humandienstleistungen von heute auf morgen möglich wäre, sondern eben weil sie Zeit braucht. Wenn wir uns nicht jetzt, wo die geburtenstarken Jahrgänge vor der Tür stehen, klarwerden, wie vielen wir eine Ausbildung für Humandienstleistungen anbieten wollen, wenn wir womöglich die Ausbildungskapazitäten gerade auf diesem Sektor abbauen, dann wird uns eine Entscheidung für mehr Humandienstleistungen in wenigen Jahren nicht mehr viel nützen.

9. Kapitel:
Rohstoffe, Nahrungsmittel, Energie

I

Was in der Bundesrepublik gemeinhin als Rohstoffpolitik gilt, ist ein Bündel von Methoden zur Sicherung der nationalen Rohstoffversorgung. Daß die Bundesrepublik darüber hinaus eine Politik für den Rohstoffbereich braucht, ist eine Erkenntnis, die außerhalb unseres Landes älter und weniger kontrovers ist als innerhalb. Wir haben keine international vorzeigbare Rohstoffpolitik. Das zuständige Bundesressort hat sie nicht erarbeitet, die Opposition nicht gefordert, die Öffentlichkeit nicht diskutiert.

Daß wir uns damit international in gefährliche Gewässer begeben, war seit Jahren, spätestens seit der 3. Welthandelskonferenz in Santiago (1972) erkennbar. Erst als die Welt auf UNCTAD IV in Nairobi (1976) die verhärteten Züge des häßlichen Deutschen zu entdecken glaubte, begann gründlicheres Nachdenken, allerdings auch jetzt noch gehemmt durch selbstgerechten Dogmatismus und moralische Entrüstung.

Wenn es sich nicht vermeiden läßt, nehmen wir an Rohstoffabkommen teil – zuletzt am Kakao-Abkommen, das beinahe an der Haltung der Bundesrepublik gescheitert wäre, und am Kaffee- und Zinnabkommen, die aber beide im Sommer 1976 noch nicht ratifiziert waren. Auch multilateralen Finanzierungssystemen und regionalen Stabilisierungsfonds hat die Bundesrepublik gelegentlich schon zugestimmt. Meist aber fechten wir für ein Höchstmaß an Freihandel, zumindest, soweit uns dies nützt. Wenn es gar nicht mehr anders gehen will, so sind wir auch für bilaterale Kooperationsabkommen, wie sie besonders von Staatshandelsländern bevorzugt werden.[60] Und mancher Versuch der Sicherung von Rohstoffbasen erinnert an das späte 19. Jahrhundert.

Daher ist es wenig überzeugend, wenn wir lautstark Verhandlungen zwischen den Erzeugern und Verbrauchern von Erdöl verlangen, weil dort andere die Preise diktieren, solange wir keinerlei Interesse an Verhandlungen zeigen, wo wir, die Verbraucher, die Preise diktieren können. Dabei wirkt auf uns der hohe Ölpreis nicht annähernd so verheerend wie niedrige Kupferpreise auf Sambia, niedrige Teepreise auf Ceylon oder niedrige Baumwollpreise auf den Tschad. Es ist nicht eben wahrscheinlich, daß wir vorteilhafte Abmachungen über Ölpreise und Ölmengen erreichen werden, solange wir uns gegen Abmachungen über solche Rohstoffe sperren, bei denen nach wie vor der Käufer das Sagen hat. Die erdölverbrauchenden Entwicklungsländer werden – entgegen ihren unmittelbaren Interessen – solange die Ölproduzenten stützen oder doch zumindest schonen, wie wir nicht bereit sind, ihren eigenen Interessen Rechnung zu tragen. Solange das Wohl und Wehe ganzer Länder abhängt vom Preis eines einzigen Rohstoffs und solange dieser Preis von den Betroffenen ohne jede Möglichkeit eigener Einwirkung hingenommen werden muß, wirkt unser Jammern über die hohen Ölpreise eher peinlich.

In der inzwischen berühmt gewordenen Cocoyoc-Erklärung vom Oktober 1974, unterschrieben von 32 Wissenschaftlern und UN-Experten nach einer viertägigen Diskussion mit dem mexikanischen Präsidenten Echeverria, heißt es: »Der traditionelle Markt macht Hilfsquellen denen zugänglich, die sie kaufen können, weniger denen, die sie brauchen. Er stimuliert künstliche Bedürfnisse, baut den Verschleiß in die Produktion mit ein und nutzt Ressourcen nicht voll aus. Im internationalen System haben sich die mächtigen Nationen die Rohstoffe der armen Länder für billige Preise gesichert (z.B. fielen die Ölpreise 1950 bis 1970 ganz beträchtlich), sie haben den gesamten Mehrwert aus der Verarbeitung an sich gezogen und haben ihre Waren, oft zu Monopolpreisen, wieder an sie verkauft. Gleichzeitig haben gerade die billigen Preise für Rohstoffe die Industrienationen ermutigt, mit den importierten Materialien leichtsinnig und verschwenderisch umzugehen ...

Diese ungleichen Wirtschaftsbeziehungen belasten auch die Umwelt. Die niedrigen Rohstoffpreise haben zur zunehmenden Umweltverschmutzung beigetragen, die Wegwerfgesellschaft bei den reichen Nationen gefördert, und die anhaltende Armut in vielen Entwicklungsländern hat oft die Menschen gezwungen, Grenzböden auf die Gefahr der Bodenerosion hin zu bebauen oder in die ohnehin überlastete Umwelt überbevölkerter Städte zu ziehen.«[61]

Es gibt also mehr als einen guten Grund, über eine glaubwürdige Rohstoffpolitik nachzudenken.

Georg Picht, der einzige deutsche Teilnehmer an der Cocoyoc-Konferenz, hat in anderem Zusammenhang als eine Minimalforderung für eine Weltfriedensordnung eine »supranationale Verwaltung der Rohstoff- und Energievorräte« genannt.[62] Dabei wußte er genau, daß auch in diesem Fall als politische Maximalforderung erscheint, was von der Sache her Minimalforderung ist. Es wird uns vorläufig also nichts anderes übrig bleiben, als geduldig nach Zwischenlösungen zu suchen.

Wir haben ein Interesse an einer kontinuierlichen, sicheren und finanziell erschwinglichen Rohstoffversorgung. Daß eine solche Versorgung von den Marktkräften nicht mehr gesichert werden kann, haben wir gelernt. Daß ein Wettlauf um Rohstoffbasen im Stile des 19. Jahrhunderts nichts einbringt, beginnen wir zu lernen. Wir werden also nach den Interessen der Produzenten zu fragen haben. Sie wollen

– eine Stabilisierung ihrer Preise;
– die volle Verfügung darüber, in welcher Menge und in welcher Form sie ihre Rohstoffe exportieren;
– die möglichst langfristige Nutzung knapper Rohstoffe (z. B. Nichteisenmetalle);
– möglichst viele Verarbeitungsstufen im eigenen Land;
– eine Zollpolitik in den Industrieländern, die dies nicht verhindert;
– Beteiligung an Transport und Vermarktung von Rohstoffen.

Auch wenn man den Gesichtspunkt der Gerechtigkeit ganz aus dem Spiel ließe, sind diese Forderungen vernünftig und mit unseren eigenen Interessen nicht unvereinbar, vorausgesetzt, wir bequemen uns endlich, vom hohen Roß derer herunter zu steigen, die es sich leisten können, die Marktkräfte für sich wirken zu lassen. (Gegen Ende des Jahres 1974 hatten unsere Terms of trade nahezu den Stand von 1970 wieder erreicht.)

Erst wenn wir auf vernünftige Forderungen eingehen, können wir unvernünftige ohne politischen Schaden zurückweisen. Dies bedeutet, daß wir unsere Reserve gegenüber internationalen Rohstoffabkommen aufgeben müssen. Das Argument, sie seien kein Allheilmittel, ist ebenso richtig wie unerheblich: hier gibt es in der Tat kein Rezept, das für alle Fälle taugen würde. Und es ist auch richtig daß kein internationales Rohstoffabkommen genauso aussehen kann wie das andere: dazu sind die Interessen von Erzeugern und Verbrauchern bei jedem Rohstoff zu verschieden.

Bei den Produkten, die in den letzten Jahren extreme Preisschwankungen hinnehmen mußten (Kupfer, Blei, Palmöl, Bananen, Zucker, Gummi etc.), wird es den Produzenten vor allem auf eine Stabilisierung der Preise ankommen. Da bei manchen dieser Rohstoffe die Gefahr der Überproduktion heute schon geringer ist als die des Mangels, müßte dies möglich sein. Auch wenn es nicht sinnvoll sein dürfte, die Forderung nach Indexierung (automatische Preisanpassung entsprechend der Inflation in den Verbraucherländern) zu erfüllen, so müßten Rohstoffabkommen doch vorsehen, daß in bestimmten Zeitabschnitten anhand der gestiegenen Kosten für Industriegüter die Preise neu ausgehandelt werden müssen.

Wenn die Interessenlage bei jedem Rohstoff anders ist, wird es nötig sein, über die einzelnen Rohstoffe gesondert zu verhandeln. Jedes Abkommen wird im einzelnen andere Instrumente oder doch eine andere Kombination von Instrumenten vorsehen müssen: Quoten, Preisspannen, multinationale Bufferstocks, aber auch Absprachen über die Kontrolle multinationaler Gesellschaften im Rohstoffbereich.

Worauf es jetzt ankommt, ist, daß die Handelsmacht Bundesrepublik Deutschland sich nicht drängen und schieben läßt, sondern selbst mit einem konstruktiven Konzept aufwartet. Die in Nairobi schließlich vereinbarte Konferenz für Frühjahr 1977 gibt dazu eine Chance, vielleicht die letzte. Sicher ist die Abstimmung mit den Vertretern der Europäischen Gemeinschaft nicht einfach, aber da sie bisher meist an der starren deutschen Haltung scheiterte, wird sie um so leichter, je rascher die Bundesregierung begreift, daß die Wiederholung marktwirtschaftlicher Glaubenssätze noch keine Rohstoffpolitik ergibt.

Leitlinie für brauchbare Vorschläge könnte ein Satz aus der

Denkschrift von Helmut Schmidt vom 7. 5. 1974 sein: »Nötig ist eine international zwischen Produzenten- und Empfängerländern vereinbarte Rohstoffpolitik, welche Mengen und Preise verstetigt.«[63]

Eine solche Rohstoffpolitik könnte den brutalen internationalen Verteilungskampf zwischen Rohstofflieferanten und Industrieproduzenten mildern und in geordnete Bahnen lenken. Da dieser internationale Verteilungskampf nicht weniger inflationär wirkt als der nationale, wäre eine abgestimmte Rohstoffpolitik auch ein Beitrag zur nationalen Stabilitätspolitik.

II

Es ist nicht anzunehmen, daß die Weltmarktpreise für Grundnahrungsmittel in der überschaubaren Zukunft wesentlich sinken werden. »Die Weltreserven, in den fünfziger und sechziger Jahren reichlich vorhanden, sind auf das Minimum zurückgegangen, das gerade noch den Nachschub für den Handel deckt.«[64]

Klimatologen erwarten, daß wetterbedingte Mißernten eher häufiger als seltener werden. Die Abholzung ganzer Waldgebiete, rapide Verschlechterung, Ermüdung und Erosion der Böden – nach Angaben von Professor Lamprecht sind in den Tropen allein zwei Milliarden (!) Hektar für »eine sinnvolle Bodennutzung« verloren gegangen – werden die Ernährung einer rasch wachsenden Weltbevölkerung noch um einiges schwieriger machen, als wir dies heute erwarten.

Nach Lester Brown müssen für den durchschnittlichen Amerikaner etwa fünfmal soviel Lebensmittel produziert werden wie für den durchschnittlichen Kolumbianer, Inder oder Nigerianer![65] Er konsumiert im Jahr etwa eine Tonne Getreide, davon nur ein Zehntel direkt in Form von Brot oder Getreideprodukten, den Rest in Form von Fleisch, Milch, Eiern oder Alkohol. Der Getreideverbrauch des US-Bürgers hat von 1965 bis 1973 um 350 Pfund pro Jahr zugenommen. Das ist so viel wie einem Inder in guten Jahren zur Verfügung steht. Die europäischen Zahlen dürften nicht wesentlich niedriger liegen.

Otto Matzke berichtet vom Entwurf eines FAO-Dokuments, das von der »gesicherten Erkenntnis« spricht, »daß Hülsenfrüchte und Getreide eine billigere und vor allem weniger landwirtschaftliche Produktionsfläche beanspruchende Eiweißquelle sind als Rinder- und Schafzucht«.[66] Und er fügt hinzu: »Ohne den großen, ständig nach oben gehenden Bedarf an Getreide für Viehfutter wären die Preise dieser Grundnahrungsmittel auch nach 1972 nicht so stark gestiegen, wie es der Fall war.«[67] Daß dieses Steigen der Grundnahrungsmittelpreise Millionen die Schwelle vom Hungern zum Verhungern überschreiten ließ, zeigt, daß es doch einen sehr direkten Zusammenhang gibt zwischen unseren Konsumansprüchen und dem Hunger der andern.

Nun nützt es wenig, wenn wir, beeindruckt von solchen Berechnungen, unser Schnitzel mit schlechtem Gewissen verzehren oder gar ganz darauf verzichten, solange dies nur dazu führt, daß die Fleischberge in der Europäischen Gemeinschaft dadurch wachsen. Die Frage ist, ob der bestehende und noch heraufziehende Hunger in weiten Teilen der Welt Konsequenzen für die Agrarpolitik der Industrieländer haben kann. Auf der Vorkonferenz für die Welternährungskonferenz in Rom im November 1974 wurde von mehreren Experten eine Fleischsteuer für Industrieländer vorgeschlagen.

In der Europäischen Gemeinschaft, die ohnehin nicht so viel Fleisch verzehren kann, wie ihre Bauern produzieren, wäre dies wohl nicht der richtige Weg. Das System der Schwellen-, Richt- und Orientierungspreise hat in der Europäischen Gemeinschaft dazu geführt, daß die Produktion weniger von Angebot und Nachfrage als durch politische Entscheidungen gesteuert wird. Welche Belastungen dies für den Steuerzahler und Konsumenten mit sich bringen kann, ist seit Jahren beklagt worden, ohne daß sich etwas geändert hätte.

Die Reform des gemeinsamen Marktes an Haupt und Gliedern dürfte auch in Zukunft auf sich warten lassen. Eine andere Frage ist, ob die bestehenden Mechanismen zu sinnvoller Politik benutzt werden können.

Die Agrarproduktion in der Europäischen Gemeinschaft wird gesteuert durch das Verhältnis zwischen den Preisen für Getreide und Futtermitteln auf der einen und den Preisen für Veredelungsprodukte (Fleisch, Milchprodukte etc.) auf der anderen Seite. Aus Gründen, die sich sehr wohl rechtfertigen lassen, hat man sich in den sechziger Jahren für relativ niedrige Getreidepreise und relativ hohe Veredelungspreise entschieden, zumal die meisten Bauern in der Europäischen Gemeinschaft den größten Teil ihres Einkommens aus der Veredelung beziehen.

In den letzten Jahren war es umgekehrt. Abschöpfungen beim

Export von Getreide, auch von Weichweizen, füllten die Kassen der Gemeinschaft, während Überschüsse an Rindfleisch oder Schweinefleisch auf Kosten des Steuerzahlers gelagert werden mußten. 1976 fiel der Weltmarktpreis für Getreide wieder unter den Preis der Europäischen Gemeinschaft, für wie lange, wird sich zeigen. Jedenfalls ist es kein wirtschaftliches Naturgesetz, daß die Preise der Europäischen Gemeinschaft über denen des Weltmarktes liegen, jeder Export also immer subventioniert werden muß. Dies ist deshalb wichtig, weil die Kaufkraft der Entwicklungsländer bestenfalls ausreicht, Getreide, keineswegs aber Fleisch zu kaufen.

Otto Matzke, nach langer internationaler Erfahrung in behutsamer Formulierung geübt, kommt zu dem Schluß: »In den wohlhabenden Ländern sollte grundsätzlich alles unterlassen werden, den schon von sich aus starken und anhaltenden Trend zum erhöhten Verbrauch tierischer Eiweiße künstlich anzuregen und zu fördern. Falls es keine anderen Mittel zur Eindämmung des bestehenden Trends gibt, sollte zum mindesten dem Preis seine volle Steuerungsfunktion überlassen bleiben.«[68]

Etwas deutlicher formuliert: Wäre es in einem solchen Augenblick nicht vernünftig, das Verhältnis zwischen den Erzeugerpreisen für Getreide und für Fleisch so zu verändern, daß etwas mehr Getreide angebaut und etwas weniger Getreide verfüttert wird? Wie stark der Getreidepreis steigen muß, damit gutes Getreideland, vor allem in Frankreich, wieder unter den Pflug genommen wird, mögen Experten berechnen. Wichtiger ist, daß die Erzeugerpreise für Fleisch nicht entsprechend steigen, damit der Anreiz zur Verfütterung geringer wird. Wahrscheinlich würde es ausreichen, in einem einzigen Jahr die Getreidepreise zu erhöhen und die Preise für Schweine- und Rindfleisch konstant zu halten, um die geringfügige Verschiebung zu erreichen, die aus der Überproduktion von Fleisch eine Überproduktion an Getreide werden läßt. Wenn wir auch hier alle moralischen Erwägungen außer Betracht ließen, so wäre es schlicht vernünftig, eine unverkäufliche Überproduktion durch eine verkäufliche zu ersetzen.

Sinn einer solchen Operation kann natürlich nicht sein, durch billige Verbraucherpreise für Fleisch den Fleischkonsum weiter zu steigern. Daher wäre zu überlegen, ob nicht die Relation der Verbraucherpreise von Getreide und Fleisch dadurch erhalten bleiben könnte, daß Fleisch- und Fleischwaren mit dem Normalsatz der Mehrwertsteuer belegt werden. Für den Verbraucher wirkt sich dies nicht anders aus als die sonst fällige Erhöhung der Erzeugerpreise.

Trotzdem zeigt dieses Modell einer Anpassung unserer Agrarpolitik an weltweite Erfordernisse, daß wir ohne eine Verringerung der Einkommensunterschiede politisch manövrierunfähig werden. Was im Blick auf die Bewältigung der globalen Ernährungskrise unerläßlich ist, läßt sich nur durchsetzen, wenn dadurch nicht der leiseste Eindruck entsteht, in Zukunft solle Fleisch wieder den Schichten vorbehalten bleiben, die dieses Privileg schon früher besaßen. Was hier für die Agrarpolitik deutlich wird, gilt überhaupt für eine Steuerung von Verbrauch und Investitionen durch indirekte Steuern.

Widerstand ist von seiten der Landwirtschaft zu erwarten. Es wird damit argumentiert werden, daß auch bei guten Böden der reine Getreideanbau sich erst von 40 oder 50 Hektar an lohne, daß Höfe ohne Veredelungswirtschaft also wesentlich größer sein müßten, als dies in den meisten Gebieten der Europäischen Gemeinschaft üblich ist. Nur: Niemand will die Schweine- oder Rinderzucht abschaffen, auch nicht die Milchwirtschaft. Es geht um Beseitigung der Überproduktion.

Im übrigen haben wir weltweit stagnierende Einkommen der industriellen Arbeitnehmer und überproportional steigende Nahrungsmittelpreise. Diese Tendenz dürfte auch auf die Europäische Gemeinschaft durchschlagen. Es könnte sich politisch also sehr wohl Handlungsspielraum für eine solche Operation öffnen.

III

Daß man die Nachfrage nach Energie mit dem Angebot auch in Einklang bringen könne, indem man sparsamer mit Energie umgeht, ist eine sehr junge Erkenntnis, die wir dem Preiskartell der Ölproduzenten verdanken. Erst jetzt ist es klar geworden, wie fahrlässig wir mit Energiequellen umgehen, deren Erschöpfung, wenn es bei den gewohnten Wachstumsraten bleibt, die ABC-Schützen von heute mit Sicherheit noch erleben werden, sei es im Alter von 35 oder erst von 75 Jahren.

Jetzt erst beginnen wir zu zweifeln, ob es klug war, mit Werbung und billigen Arbeitspreisen die Bürger zu hohem Stromverbrauch aufzufordern, die Elektrifizierung des letzten Handgriffs zu propagieren, in Mitteleuropa riesige Gebäude mit aufwendigen Klimaanlagen auszustatten, den mörderischen Rennwettbewerb auf unseren Straßen zu dulden und Häuser so zu bauen, als fielen die Heizungskosten nicht ins Gewicht. Inzwischen fragen wir uns sogar, ob es sinnvoll sei, mit der Abwärme unserer konventionellen und atomaren Kraftwerke Flüsse und Luft zu erwärmen, während wir mit dem dürftigen Rest einer zweimal umgewandelten Energie immer mehr Wohnungen elektrisch heizen.[69]

Daß wir mitten in einem Prozeß des Umdenkens stehen, zeigen die verschiedenen Energieprogramme von Bund und Ländern, die im Lauf des Jahres 1974 erarbeitet wurden. Sie zeichnen sich dadurch aus, daß sie auf die Möglichkeit der Energieersparnis verweisen, deren Ausmaß verständlicherweise aber nicht anzugeben vermögen.

In einigen Bereichen laufen erst jetzt Forschungsprogramme an, in anderen sind die Wirkungen noch nicht abzuschätzen, z. B. dürfte es einige Jahrzehnte dauern, bis alle Wohnungen mit der nötigen Wärmedämmung ausgerüstet sind.

Es ist also nicht erstaunlich, wenn uns gesagt wird, es sei noch nicht abzusehen, was langfristig an Energie zu sparen sei. Erstaunlich ist aber, daß man sehr wohl weiß, was wir langfristig an Energie verbrauchen werden. Fast alle Programme gehen von Zuwachsraten bis 1990 aus, die sich von denen der Jahre 1960–73 nur geringfügig unterscheiden. Nach wie vor gehen z. B. die meisten Programme von einer Verdoppelung des Stromverbrauchs in zehn Jahren aus, und dies, obwohl die Zuwachsraten für 1974 und 1975 bereits weit unter den sieben Prozent lagen, die dazu nötig wären. Dabei beruft man sich auf die weitere Elektrifizierung des Verkehrs, den Aufwand für Wärmepumpen, die Notwendigkeit neuer Arbeitsplätze oder die Substitution von Öl.

Dem wären gegenüberzuhalten das Stagnieren der Bevölkerungszahlen, das geringere, falls vorhandene, Wirtschaftswachstum, die rasch nachlassende Zunahme des Wohnungsbestandes und die unvermeidbare Erhöhung der Strompreise. Schon 1972 waren in der Bundesrepublik 90 Prozent der Haushalte mit Fernsehern, 80 Prozent mit Kühlschränken, 79 Prozent mit Waschmaschinen, 65 Prozent mit Elektroherden und 28 Prozent mit Gefriertruhen ausgestattet. Sicherlich besteht noch ein Nachholbedarf an Geschirrspülern oder Wäschetrocknern. Nun tun Politiker gut daran, sich nicht über die Zeitersparnis durch Geschirrspüler zu äußern. Sie werden auch gerne zugeben, daß es, zumal in Großstädten, Haushalte gibt, für die der Wäschetrockner eine Hilfe bedeutet. Aber in einer Zeit, wo fieberhaft daran gearbeitet wird, Sonnenenergie nutzbar zu machen, dürfte der Hinweis erlaubt sein, daß die Menschen seit Jahrtausenden ihre Wäsche immer – direkt oder indirekt – mit Sonnenenergie getrocknet haben, ohne dieselbe zwischendurch unter riesigem Kapitalaufwand und großen Verlusten in elektrische umgewandelt zu haben.

Das auf den ersten Blick stärkere Argument für eine rasche Steigerung des Energieangebots ist sein Einfluß auf die Zahl der Arbeitsplätze. Gelegentlich wird die schlichte Gleichung aufgemacht: Arbeitsplätze gibt es nur bei rasch steigendem Sozialprodukt, dieses aber nimmt ungefähr im gleichen Maße zu wie der Energieverbrauch. Beides erweist sich als zweifelhaft. Nachdem Carl Friedrich v. Weizsäcker im Juni 1975 seine Einwände gegen diese Dogmen angemeldet hatte,[70] stellt ein knappes Jahr danach eine einstimmige Entschließung des Deutschen Bundestages fest, »daß sich die Beziehungen zwischen Energieverbrauch und Entwicklung des Bruttosozialproduktes offensichtlich verändert haben«.[71]

Abgesehen davon ist keineswegs sicher, daß jede Steigerung des Sozialproduktes Arbeitsplätze schaffen müßte. Sicher ist nur, daß es wenige Aktivitäten unserer Volkswirtschaft geben dürfte, die mehr neue Arbeitsplätze anzubieten haben als der Versuch, energiesparende Technologien nutzbar zu machen und neue Energiequellen zu erschließen. Und wenn es möglich ist, Energie durch Information zu ersetzen (Weizsäcker), dann ist auch dies ein arbeitsintensiver Vorgang. Von daher fällt auch das Argument in sich zusammen, man müsse bei der Energieerzeugung immer soweit vorhalten, daß jeder denkbare Spitzenbedarf gedeckt werden könne. Solche Energiepolitik, auch darauf hat Carl Friedrich v. Weizsäcker hingewiesen, könnte lediglich eine extrem energieintensive Technologie oder einfacher: Energieverschwendung vorprogrammieren.

Auch die üblichen Einwände, jede Politik der Energieersparnis sei ein systemwidriger Eingriff in Marktprozesse, sticht nicht. Hätte der Bund nicht eine zweistellige Milliardenzahl zur Erschließung der Kernenergie aufgebracht, so gäbe es in der Bundesrepublik entweder keinen Strom aus Kernreaktoren oder doch nur zu Preisen, die nicht annähernd konkurrenzfähig wären. Bisher hat der Steuerzahler den Strompreis niedriger gehalten. Jetzt kommt es darauf an, daß der Strompreis wieder seine Marktfunktion erhält, auch als Anreger einer Technologie, die mit Energie sparsamer umgehen lernt.

Bislang ist der Stromverbrauch bei den privaten Haushalten weitaus am raschesten gestiegen. Es gibt keinen zwingenden Grund zu der Vermutung, er müsse weiterhin in demselben Tempo wachsen, es sei denn, man rechne mit einer raschen Zunahme der elektrischen Heizung und Warmwasserbereitung. Während der Vierpersonenhaushalt mit moderner Ausstattung und elektrischem Kochherd etwa 2200 kWh im Jahr verbraucht, dürften es beim vollelektrisierten Haushalt (mit elektrischer Heizung und Warmwasserbereitung) etwa 17000 kWh sein, also mehr als das Siebenfache. Nun kommt es darauf an, ob wir dies wollen. Daß die Elektrizitätswerke dies wollen, ist verständlich.[72] Daß es ökonomisch und ökologisch nicht ratsam ist, teure Energie unter zweimaligem Umwandlungsverlust in Strom und dann wieder in Wärme zu verwandeln, dürfte spätestens dann einleuchten, wenn wir begriffen haben, daß alle verfügbaren und denkbaren Energiequellen eines gemein haben: sie werden teurer sein, als uns lieb ist.

Es ist einleuchtend, daß die Abwärme unserer Kraftwerke nicht von heute auf morgen zu Heizzwecken verwendet werden kann. Aber von heute auf übermorgen? Welchen Wert haben Energieprognosen bis 1990, wenn sie die – auch vom Bundestag geforderte – Koppelung von Strom- und Wärmeerzeugung nicht mit einbeziehen? Eine betriebswirtschaftliche Rechnung mag ausweisen, daß Investitionen für Heizung mit Abwärme noch nicht rentabel sind. Auch dies wird neuerdings in Frage gestellt.[73] Es wäre der Mühe wert, den Berechnungen von Pitter Gräff nachzugehen, wonach »die Nutzung von Abwärme mit Hilfe bekannter Technologien heute schon möglich« sei und den Bau von Kraftwerken »weitgehend überflüssig mache«. Gräff präzisiert: »Auch wenn man den veränderten Wirkungsgrad berücksichtigt, würde ein Kraft-Wärme-Verbundnetz allein 17 von 46 bis 1985 geplanten Kraftwerken von durchschnittlich 1250 Megawatt Leistung überflüssig machen.«[74] Heizung über Wärmepumpen in Flüssen wird heute schon geplant. Es ist durchaus möglich, daß bei der Nutzung von Abwärme Investitionen und Arbeitsplätze der Zukunft liegen. Wenn jeder zweite Haushalt der Bundesrepublik mit der bislang vergeudeten Abwärme bereits bestehender Kraftwerke beheizt werden kann, ist nicht einzusehen, warum elektrisches Heizen sich weiter ausbreiten müßte, zumal neue Kraftwerke zuerst einmal weitere Abwärme erzeugen.

Die öffentliche Diskussion um die Notwendigkeit, Schädlichkeit oder Unschädlichkeit von Kernkraftwerken hat den politisch verantwortlichen Laien in den letzten Jahren mehr verwirrt als aufgeklärt. Wenn er versucht, die unterschiedlichsten, jeweils von ernstzunehmenden Experten nicht ohne Engagement vorgetragenen Meinungen zu werten, so kommt er zu dem Schluß, hier seien doch wohl mehr ungelöste Probleme, als er ursprünglich angenommen hat. Es drängt sich ihm der Eindruck auf, Atomenergie könne allenfalls eine Übergangslösung, nicht aber die entscheidende Energiequelle der Zukunft sein. Stünden wir nicht unter Zeitdruck, so wäre ein Moratorium, wie es eine niederländische Kommission ebenso wie eine Initiative in Frankreich vorgeschlagen hat, zu empfehlen, ein Moratorium, das dem Politiker in einigen Jahren solidere und weniger umstrittene Entscheidungsunterlagen liefern könnte, als sie ihm heute zur Verfügung stehen. Aber auch wenn dies nicht möglich sein sollte, müßte in den nächsten Jahren die Notwendigkeit von Kernkraftwerken mit Gründen nachgewiesen werden, die stichhaltiger sind als die extrapolierten Wachstumzahlen aus den Wirtschaftsministerien des Bundes und der Länder.

Die Vergeudung von Energie ist am auffallendsten bei den privaten Haushalten und beim Verkehr. Beide haben einen geringen Nutzungsgrad und die höchsten Zuwachsraten. Im Verkehrssektor liegt der Nutzungsgrad bei 17 Prozent, wobei der Personenkraftwagen mit 10 Prozent Nutzungsgrad den Gesamtdurchschnitt drückt. Die Energiepolitik liefert also zusätzliche Argumente für eine Verkehrspolitik, die für die Ballungsräume dem öffentlichen Nahverkehr Priorität einräumt. Sollte diese Priorität der Diktatur der leeren Kassen zum Opfer fallen, so würde dies bei steigenden Energiepreisen unsere Volkswirtschaft teuer zu stehen kommen.

Die Angaben über die Belastung der Umwelt durch Energieverbrauch gehen nicht nur deshalb auseinander, weil verschiedene Interessen wirksam sind, sondern auch, weil jeweils nicht dasselbe unter Umwelt verstanden wird. Daher stellt eine Studie des Kernforschungszentrums Karlsruhe fest: »Für die Beurteilung der Gesamtbelastung der Umwelt durch den Energieeinsatz wäre es notwendig, die aggregierte Wirkung der einzelnen Belastungsarten an bestimmten Orten und zu bestimmten Zeiten zu kennen. Die Voraussetzungen für die Entwicklung eines solchen Umweltbelastungsindex sind zur Zeit nicht gegeben.«[75]

Solche nüchternen Feststellungen sollen weder alarmieren noch beschwichtigen. Denn eines ist unbestreitbar: Jeder Energieverbrauch konsumiert natürliche Ressourcen und belastet die Umwelt.

Energiepolitik ist nicht nur Ökonomie, sie ist auch Innenpolitik und Außenpolitik. Innenpolitisch ist es nicht möglich, unseren Bürgern die Zustimmung zum Bau von Kernkraftwerken oder Raffinerien in ihrer unmittelbaren Umgebung abzuringen, solange der Nachweis nicht erbracht – und nicht zu erbringen – ist, daß das Gemeinwohl und nicht die Launen ihrer Mitbürger oder die Planungen von Technokraten dies unerläßlich machen. Spätestens seit den Vorgängen um das Kernkraftwerk Wyhl sollten wir dies als Tatsache hinnehmen.

Außenpolitisch ist es schwierig, unseren europäischen und atlantischen Partnern klarzumachen, warum die Deutschen es nicht nötig haben, mit dem Einsparen von Energie Ernst zu machen. Und die Länder der Vierten Welt werden schwerlich begreifen, warum wir unseren Energieverbrauch pro Kopf jährlich um eine Größe steigern müssen, die ihren eigenen Gesamtverbrauch übertrifft.

Eine Energiepolitik, die sich an den neuen Fakten nicht vorbeidrückt, die nicht Trends extrapoliert, sondern das politisch Notwendige machbar machen will, müßte
- der Einsparung von Energie erste Priorität geben;
- die Forschung nach neuen Energiequellen und Methoden der Einsparung fördern.

Kurzfristig wäre vorrangig durchzusetzen:
- Stromtarife für private Haushalte, die den überdurchschnittlichen Stromverbrauch nicht begünstigen, sondern belasten. Dazu könnte die Abschaffung der Grundpreise und entsprechende Erhöhung der Arbeitspreise ausreichen. Notfalls wäre ein Zuschlag für weit überdurchschnittlichen Stromverbrauch zu erwägen.
- Ablehnung von Genehmigungen für neue Kraftwerke, bei denen keine Koppelung von Strom- und Wärmeerzeugung eingeplant ist.
- Abschaffung der Kraftfahrzeugsteuer, dafür entsprechende Erhöhung der Mineralölsteuer bei angemessenem Länderanteil an der Mineralölsteuer.
- Eine Geschwindigkeitsbegrenzung auf Autobahnen, die auch aus Gründen der Verkehrssicherheit und der internationalen Solidarität ratsam erscheint.

I

Auf Grenzen stoßen wir nicht nur bei Rohstoffen, Energie und Nahrungsmitteln, sondern offenbar auch bei der menschlichen Gesundheit. Eine dieser Grenzen hat auch die Politiker aufgeschreckt: die finanzielle. Wir werden unser Gesundheitssystem bald nicht mehr bezahlen können. Explodierende Pflegesätze in technisch perfektionierten Krankenhäusern, ein unwahrscheinlicher Verbrauch von immer teurer werdenden Medikamenten, wachsende Aufwendungen für eine zunehmende Zahl älterer Mitbürger und überspannte Arzthonorare lassen befürchten, daß noch in diesem Jahrzehnt die Krankenkassen Beiträge verlangen müssen, die für manchen Arbeitnehmer die Steuerbelastung übertreffen dürften. Die Ausgaben der Krankenkassen, die 1960 bei 9,5 Milliarden DM lagen, könnten in wenigen Jahren an die 100 Milliarden-Grenze stoßen. Unser Gesundheitswesen ist ein klassisches Beispiel dafür, daß die Fortschreibung des Bestehenden keine Zukunft mehr ergibt.

Aber hinter der finanziellen Grenze zeigen sich andere: Den steigenden Kosten entspricht keineswegs mehr Gesundheit. Die Menschen werden nicht gesünder, sie leiden und sterben nur an anderen Krankheiten. Sogar die Lebenserwartung der Erwachsenen, ohnehin ein fragwürdiger Maßstab für Gesundheit, stagniert oder geht wieder zurück. Die iatrogenen, also durch das Gesundheitssystem selbst verursachten Krankheiten nehmen sprunghaft zu: Nebenwirkungen von Medikamenten, vor allem der unübersehbaren Zahl von Medikamentenkombinationen, Angst vor technisch perfekten, aber für den Patienten unbegreiflichen Apparaturen, unpersönliche Reihenabfertigung, Fehldiagnosen und das Bedürfnis, jedweden Schmerz – gelegentlich sogar den seelischen – augenblicklich zu beseitigen, machen die Menschen eher krank als gesund. Tausende von Kindern verlassen unsere Krankenhäuser mit seelischen Schäden, die schwerer wiegen als die körperlichen, die sie ins Krankenhaus mitgebracht haben, weil wir diese Kinder mutterseelenallein einer Orgie von Chrom, Stahl und Glas aussetzen.

Die Umwelt tut ein übriges: Lärm, verschmutzte Luft, denaturierte oder gifthaltige Lebensmittel, ungesunde Arbeitsplätze.

Am raschesten wächst die Zahl der eindeutig psychischen oder psychogenen Erkrankungen: Immer mehr Menschen sind überfordert, sie schaffen es nicht mehr, sich an ihre Umgebung anzupassen und doch ihre Identität zu wahren.

Eine neue Grenze wird also sichtbar, nicht weniger bedrükkend als die des Wachstums: es ist nichts mit dem Sieg der Wissenschaft über die Krankheit. Im Gegenteil: Die moderne technische Zivilisation gefährdet den Menschen mehr, als sie ihn schützt.

Inzwischen bekommen wir Diagnosen der kranken Finanzen unseres Gesundheitswesens. Sie zeigen, wo gespart werden kann, damit die Kostensteigerungen erträglich bleiben: nicht mehr so viel neue Krankenhäuser, Differenzierung innerhalb des Krankenhauswesens, Verzahnung zwischen ambulanter und stationärer Behandlung, geringere Gewinnspannen für die pharmazeutische Industrie, mäßigere Zuwächse bei den Arzthonoraren.[76] Das wird dann ebenso richtig sein wie viele andere Forderungen zur Gesundheitspolitik. Nur: Die Krise unseres Gesundheitswesens liegt tiefer.

II

Sie liegt in einer hanebüchen versimpelten, mechanistischen Vorstellung vom menschlichen Organismus, gelegentlich bei Ärzten anzutreffen, noch mehr bei den Patienten und ihren Vertretern in den Krankenkassen. Diese Vorstellung orientiert sich an der Maschine: Wenn sie nicht läuft, muß irgendwo ein Defekt sein. Also geht man zu einem Mechaniker, der sich an dieser Maschine auskennt und dem man das »Gewußt wo« zutraut und entsprechend honoriert. Von ihm erwartet man auch die Reparatur, die es ja für jeden Defekt geben muß: Medikamente – möglichst mehrere Sorten davon –, Spritzen, notfalls den Eingriff. Die Einsicht, daß im Grunde nie ein Organ, sondern der Organismus, der Mensch krank ist, hat sich bislang in der Praxis noch weniger durchgesetzt als in der Theorie.

Während die moderne Medizin der meisten Infektionskrankheiten Herr werden konnte, ist sie gegen die heute dominierenden chronischen Krankheiten hilfloser, als sie zugeben möchte. Die meisten sind, erst einmal entstanden, nicht mehr heilbar, bestenfalls kann ihr Fortschreiten behindert oder verhindert werden. Also käme es darauf an, den Risikofaktoren zu Leibe zu rücken, die diese Krankheiten auslösen.

Bei mehr als der Hälfte der Menschen, die heute den Arzt aufsuchen, ist gar keine organische Krankheit festzustellen. Trotzdem sind die meisten wirklich krank, überfordert, erschöpft, in ihrer Leistungsfähigkeit reduziert. Aber wie soll ein Arzt ihnen helfen, der für solche psychosomatischen oder psychosozialen Leiden nicht ausreichend vorgebildet ist und im übrigen auch keine Zeit hat, solchen Krankheiten auf den Grund zu gehen? Und nähme er sich die Zeit, so würde er durch eine Gebührenordnung bestraft, die für solcherlei Tätigkeit wenig Verständnis hat.

Kein Wunder, daß die von der Bundesregierung angeforderte Untersuchung über die Lage der psychisch Kranken Erschreckendes ans Licht brachte. Wenn beinahe jedes vierte Kind Auffälligkeiten im Verhalten zeigt, die in einer verständnisvollen Umgebung und bei ausreichender Zuwendung nicht zu psychischen Krankheiten führen müssen, wenn jeder vierte alte Mensch an psychischen Störungen leidet, dann leuchtet unmittelbar ein, daß damit weder die psychiatrischen Landesanstalten (fast alle im letzten Jahrhundert gegründet und ursprünglich mehr auf Absonderung als auf Heilung angelegt) noch unsere landläufige Psychotherapie fertig werden kann, zumal ein Psychotherapeut im Laufe seines Berufslebens nur eine kleine Zahl von Kranken (meist weniger als hundert) gründlich behandeln kann. Hier werden ganz neue Berufsbilder nötig.

Klaus Müller untersucht die Probleme, »welche dadurch entstehen, daß Krankheit abstrakt analysiert wird, die einzelnen Kranken aber konkrete Menschen sind«.[77] Er stellt fest: »Die naturwissenschaftliche Medizin zerlegt den Patienten in einzelne, allein interessierende Gegenstände, sie verfährt partikular-funktional. Im partikularen Vorgehen ist sie wissenschaftlich, im funktionalen Vorgehen ist sie technisch.«

In der Praxis sieht das etwa so aus: »Nicht der kranke Herr Meier in Zimmer 7 ist im Blickfeld, sondern eine Anomalie an seiner Herzklappe; die Maschine Herz ist zu reparieren, sie soll vielleicht ein Ersatzteil bekommen. Bei Herrn Lehmann auf Zimmer 12 einer anderen Station ist es nicht sein subjektives Erschöpfungsgefühl, seine aufgestaute und verdrängte Wut über erlittene berufliche Demütigungen, die behandelt wird, sondern sein Magen, der Geschwüre ausgebildet hat. Herr Meier und Herr Lehmann leben ein konkretes Leben, das heißt ein Leben, das vielfältig mit allem, was ihnen begegnet, zusammengewachsen ist. Ihre Behandlung aber ist abstrakt: Nur ein Herz, nur ein

Magen stehen zur Debatte – und nicht einmal Herrn Meiers Herz oder Herrn Lehmanns Magen. Denn für die naturwissenschaftliche Medizin ist es ganz irrelevant, ob gerade dieses Herz oder dieser Magen geheilt werden können oder nicht. Sie kennt gar keine substantielle Konkretion auf den Einzelfall, ihre Kriterien, die über Erfolg oder Nichterfolg entscheiden, sind wesentlich statistischer Natur. So wird der Patient zum Objekt ... Er ist wissenschaftlich als definierter Fall und technisch als zu behandelnder Schaden vermarktet, einen Namen im eigentlichen Sinne hat er nicht mehr.«

Wohin diese Vorstellung von Krankheit und Gesundheit, zu Ende gedacht, führen muß, hat Alvin Toffler angekündigt: »Den menschlichen Körper wird man als Summe von Einzelteilen betrachten, durch deren systematischen Austausch das Ganze erhalten und die durchschnittliche Lebenserwartung um zwei bis drei Jahrzehnte verlängert wird.«[78]

Man mag darüber rechten, ob sich die Lebenserwartung der Menschen wirklich um Jahrzehnte verlängern läßt, wenn man Sterbende und Tote behandelt wie abgewrackte Autos, die man nach Ersatzteilen ausschlachtet, um andere Menschen zu reparieren – wie wir gewohnt sind, Autos zu reparieren: durch Ersatzteile. Man mag auch bezweifeln, daß es sich hier um die Erwartung von Leben und nicht meist um die Erwartung von Siechtum handelt. Man mag darauf hinweisen, daß schließlich ein Individuum sterben muß, meist hoffnungslos allein, und nicht eine Summe von Organen. Der Mediziner mag auch den Tod zerlegen in Herztod und Gehirntod, sterben muß immer ein Mensch. Die entscheidende Frage ist, ob wir uns hier nicht auf dem Weg in eine Sackgasse befinden, eine finanzielle – diese Art von Medizin wird schließlich unbezahlbar; eine soziale – diese Art Medizin wird nie für alle zur Verfügung stehen können, nicht einmal für alle Bürger der Industrieländer; eine rechtliche – wer soll entscheiden, von welchem Augenblick an dem Patienten welches Organ entnommen werden darf?; und eine ethische – wo hört die Erhaltung und die Förderung von Leben auf, und wo beginnt die Verlängerung des Sterbens?[79]

III

Krankheit ist ein Vorgang, der natürlich auch seine physikalisch-chemische Seite hat, also ist Krankheit auch von dieser Seite her anzugehen. Aber Krankheit hat auch eine psychische und eine soziale Seite, und wer diese Seite ignoriert, kann letztlich bestenfalls reparieren, nicht heilen:

»Herr Lehmann, der Magengeschwüre hat, ist durch jahrelange berufliche Demütigung in seinen jetzigen Zustand gekommen; krank ist nicht nur sein Magen, krank ist auch die Situation vor Ort seines Wirkens. Wird er bloß in seinem biologischen Inneren wieder gesund gemacht – einmal vorausgesetzt, daß dies überhaupt möglich sei –, so ist der nächste Konflikt mit der Entlassung aus der Behandlung und der Rückkehr in den Alltag schon programmiert. Selbst wenn dann seine Magengeschwüre ganz verschwunden sind und er im Augenblick als geheilt gelten könnte, so ist doch – gemessen an der unverändert weiter bestehenden Struktur seiner beruflichen Vor-Ort-Situation – nur an Symptomen kuriert worden. Denn die Krankheit seines Lebensweges sitzt in den zwischenmenschlichen Bezügen und Strukturen, mit denen sich Herr Lehmann täglich herumzuschlagen hat, und sie ist nur gerade im Magen zum Ausbruch gekommen, weil er vielleicht ein besonders schwaches Glied in diesem komplexeren Gesamtzusammenhang war.«[80] Es ist daher nur konsequent, wenn Müller fordert, man müsse, »den Organismus der Gesellschaft zum Organismus des Individuums hinzunehmen«. Nun ist Sozialmedizin nichts Neues, und es gibt eine große Zahl von Ärzten, die den Kranken so sehen möchten – wenn sie die Zeit dazu hätten und wenn die Patienten dies nicht allzu ungewohnt fänden. Auch wo die soziale und psychische Seite der Krankheit in der Diagnose keineswegs übersehen wird, erscheint die Therapie doch eher als ein »Fitmachen für ein besseres Durchstehen eben dieser krankmachenden Vor-Ort-Situation«.[81]

Nun wird es uns nicht gelingen, eine Gesellschaft aufzubauen, die keine Menschen kränkt und damit krankmacht. Aber wir können doch sehr viel mehr achten auf das, was in unserer Arbeitswelt, in unseren Schulen und nicht zuletzt in unserem Gesundheitswesen selbst Krankheit verursacht. Der Züricher Mediziner und Psychiater Claus Buddeberg nennt als Beispiel, für das jeder Laie Belege anführen könnte: »daß die Familie, … vom medizinischen Handeln völlig isoliert bleibt«. Buddeberg fährt fort: »Die These sei gewagt: Würde es der Medizin gelingen, die Angehörigen und den Patienten selbst mehr an ihrem Handeln teilnehmen und damit auch teilhaben zu lassen, wäre ein erster Schritt zur Bewältigung der Krise ihrer – der Medizin – eigenen Zielsetzung getan. Gegenwart, selbst wenn sie auf ein

Dabeisein und Zusehen beschränkt bleibt, schafft eher die Voraussetzung und Bereitschaft, Solidarität mit und Verantwortung für den Patienten zu empfinden. Unsere gegenwärtige Medizin ist jedoch so strukturiert, daß sich ihr Handeln von der Wiege bis zum Sterbebett in einer Anonymität fernab der Familie vollzieht. Das aber hat zur Folge, daß der Kranke mit seiner Krankheit, seinen Ängsten und seiner Verzweiflung weitgehend alleingelassen ist.«[82]

IV

Wo Krankheit als ganzheitlicher und damit auch sozialer Vorgang begriffen wird, muß sich auch das Verhältnis des Arztes zum Patienten ändern. Wenn der Arzt der Fachmann ist, der besser als der Patient Krankheitssymptome festzustellen und zu interpretieren weiß, wenn der Patient besser als der Arzt die konkrete Lebenswelt kennt, mit der die Krankheit zu tun hat, dann sind beide auf Zusammenarbeit und Gespräch angewiesen, wobei der Patient aus seiner rein passiven Rolle heraustritt.

In einer solchen Beziehung zwischen Arzt und Patient bekommt auch das Medikament wieder seinen richtigen Ort. Die Vorstellung, es könne Medikamente mit einer durchschlagenden positiven Wirkung ohne jede negative Nebenwirkung geben, dürfte nicht mehr lange zu halten sein, so wenig wie der Aberglaube, ein hinreichend gezielter Einsatz immer wirksamerer Medikamente könne eines Tages aller Krankheit den Garaus machen. Wo mit Medikamenten in den Organismus eingegriffen wird, bleiben Spuren, flachere oder tiefere, für kürzere oder längere Zeit, und die Spuren sind in der Regel um so tiefer, je härter der Eingriff war. Dies spricht nicht gegen die Anwendung von modernen Medikamenten, wohl aber gegen eine naive Pillengläubigkeit, zumal wenn sich herausstellen sollte, »daß die Medizin den Wettlauf mit den Nebenwirkungen der von ihr eingesetzten Medikamente gerade solange nicht gewinnen kann, wie sie diese Nebenwirkungen durch vermehrten Einsatz ebensolcher Medikamente auszuschalten trachtet«.[83]

Es gibt auch im Bereich der Medikamente ein exponentielles Wachstum, das eines Tages unserer Kontrolle entgleitet. In den USA und Großbritannien schlucken zwischen 50 und 80 Prozent aller Erwachsenen alle 24 bis 36 Stunden ein verschriebenes Medikament. Dabei ist es unvermeidlich, daß Tausende ein falsches, ein verdorbenes oder auch eine gefährliche Kombination von Medikamenten zu sich nehmen.[84] In der Bundesrepublik dürfte es kaum anders aussehen.

Die Ärzte sind bei alledem weniger frei, als sie sein möchten. Mit falschen, seinem Prestige dienlichen Erwartungen konfrontiert, hat der Arzt selten den Mut, diese zu enttäuschen und redlich zu bekennen, daß sich dies oder jenes Gebrechen von selbst wieder gebe, ein anderes gar nicht oder doch nur um den Preis anderer organischer Schäden zu kurieren sei. Er untersucht, verschreibt, spritzt, ohne in jedem Fall an die Wirkungen seines Tuns zu glauben. Für ein ruhiges Gespräch und einen individuellen Rat hat er ohnehin zu wenig Zeit, auch wird er dafür schlechter honoriert als für die Spritze. Der Patient hat einen Anspruch auf Heilung – wozu zahlt er in seine Kasse? – und der Arzt muß beweisen, daß er zumindest bemüht ist, diesem Anspruch gerecht zu werden. So füllen sich in Millionen von Haushalten die Medikamentenschränke. Ihre Eigentümer verlieren rasch die Übersicht, die sich nur nach periodischer Beschäftigung der Müllabfuhr zurückgewinnen läßt. Dies wiederum belastet die Umwelt und führt zu Unfällen.

Krankenhäuser, mit enormen Kosten eingerichtet und unterhalten, dienen oft nicht der Heilung des Heilbaren, sondern, mangels Alternative, der Pflege oder auch der Absonderung des offenkundig Unheilbaren. Der Tod wird ins Krankenhaus verbannt. Letztlich ist es dann oft der Arzt, der zu entscheiden hat, wann es endgültig sinnlos wird, ein Leben – oder auch ein Sterben – noch weiter, und sei es nur um Stunden, zu verlängern. Passive Sterbehilfe ist keineswegs der Ausnahmefall, sie wird eine der Grenzen sein, an die unsere Medizin stößt.

V

Es sind gerade die besten Ärzte, die unter solchen Zuständen leiden. In der Tat sind die Ärzte oft ebenso Opfer wie Repräsentanten und Nutznießer eines Gesundheitssystems, das Erstaunliches geleistet hat – etwa in der Chirurgie oder bei der Bekämpfung von Infektionskrankheiten –, nun aber zu einem Apparat zu werden droht, der sich selbst genügt und dessen Effizienz in einem zunehmend grotesкeren Mißverhältnis zu seinen Kosten steht.

Wären wir in England, so läge hier eine Aufgabe für eine Royal

Commission: Wir brauchen eine gründliche Bestandsaufnahme unseres Gesundheitssystems, erarbeitet von einem halben Dutzend Fachleuten, die weder den Ärztekammern noch der pharmazeutischen Industrie, auch nicht der zuständigen Administration verpflichtet sind: Mediziner, Soziologen, Ökonomen, Psychologen.

Eines ist allerdings schon heute erkennbar: Hier ist eine Reform fällig, die keine neue Kostenlawine auslöst, sondern eine längst rollende zum Stehen bringt. Eine Reform, die Abschied nimmt von der kostspieligen Illusion, wir könnten mit Wissenschaft und technischer Perfektion wieder gutmachen, was von frühester Kindheit an gedankenlos und mutwillig zerstört wird an menschlicher Vitalität und Gesundheit. Die Reform des Gesundheitswesens ist vor allem eine Aufgabe der Bewußtseinsbildung.

Einige Anregungen:

– Wir müssen Verständnis dafür wecken, daß Krankheit – und damit auch Gesundung – nicht nur ein physischer, sondern ebenso ein psychischer und sozialer Vorgang ist, bei dem Ursachen und Wirkungen unentwirrbar verflochten sind.

– Wir brauchen – beginnend in den Schulen – eine breit angelegte Aufklärung darüber, wodurch Gesundheit heute gefährdet ist und was der einzelne und die Gemeinschaft dagegen tun können. Dies gilt vor allem für die Gefährdungen, die medizinisch unbestritten sind: Mangel an körperlicher Bewegung, zu reichliche oder einseitige Ernährung, übermäßiger Genuß von Alkohol, Drogen oder Medikamenten, aktives und passives Rauchen.

– Wir brauchen eine breite öffentliche Darstellung von Ursachen und Formen psychischer und psychogener Erkrankungen. Dabei müßten die sozialen Ursachen im Vordergrund stehen.

– Einfache Gemeindezentren sind einzurichten als Orte der Gesundheitsberatung, Gesundheitsaufklärung und Gesundheitsvorsorge, aber auch als Mittelpunkte für ambulante Krankenpflege. Sie sollen vor allem die Arbeit der nichtärztlichen Heilberufe und der sozialtherapeutischen Berufe erleichtern und aufwerten, aber auch für Zweigsprechstunden von Fachärzten offen sein.

– Die Familien müssen in das Bemühen des Arztes um Heilung einbezogen werden. Dies gilt besonders bei Kindern und alten Menschen.

– Unsere Berufswelt und unser Erziehungssystem sind daraufhin zu prüfen, welche Krankheiten sie erzeugen, in welcher Weise dies geschieht und wie es verhindert werden kann.

- Wir brauchen eine öffentliche Diskussion über Wirksamkeit und Unwirksamkeit, Schädlichkeit und Unschädlichkeit von Medikamenten. Juristische Hindernisse für eine solche Diskussion sind zu beseitigen.
- Die Aufklärung über einfache und bewährte Heilmethoden für leicht erkennbare und häufig auftretende Krankheiten ist zu verstärken, damit die Ärzte von Bagatellfällen eher entlastet werden können.
- Natürliche Heilmethoden, deren Unschädlichkeit sicher, deren Wirkung umstritten ist, dürfen nicht diskriminiert werden.
- Werbung für Arzneimittel ist beim Kunden zu untersagen, Werbung für Zigaretten generell zu verbieten.
- Psychisch Gefährdete und Kranke müssen solange wie möglich in die Gesellschaft integriert, also am Ort, sei es ambulant, sei es in psychiatrischen Abteilungen der örtlichen Krankenhäuser, betreut werden.
- Sozialmedizinische und verhaltenspsychologische Erkenntnisse müssen in Aus- und Fortbildung der Heilberufe einen höheren Stellenwert erhalten.
- Neue Berufsbilder, vor allem zur Betreuung von psychisch oder psychogen Geschädigten, müssen definiert, entsprechende Ausbildungs- und Fortbildungsgänge angeboten werden.
- Die ärztlichen Gebührenordnungen sind auch daraufhin zu überprüfen, ob die einzelnen Leistungen im Verhältnis zueinander richtig honoriert werden. Gründliche Beratung – individuell oder zusammen mit den Angehörigen des Patienten – sollte besser honoriert werden als vorschnelle kurative Maßnahmen.
- So unerläßlich für den Kranken die Sicherheit ist, daß er sich auf die Solidargemeinschaft verlassen kann, so notwendig ist auch die Einsicht, daß Gesundheit kein abrufbarer Anspruch gegenüber einem dafür zuständigen Apparat sein kann, sondern immer auch ein Stück eigener oder gemeinsamer menschlicher Leistung.

11. Kapitel:
Bildung

I

Wie in den meisten westlichen Industrieländern, befindet sich auch unser Bildungswesen in einem Zustand, den kritische Betrachter als trostlos bezeichnen. In der Tat, vieles, womit Bildungspolitiker sich bislang getröstet haben, verflüchtigt sich. Die Möglichkeiten der Schule, eine in der Gesellschaft nicht vorgegebene Chancengleichheit zu erzwingen, sind begrenzt, weil die Schule nie ersetzen kann, was das Elternhaus, besonders in den ersten drei Lebensjahren des Kindes, leistet oder versäumt.[85] Ein Erziehungssystem, dem man die Verteilung von Lebenschancen zumutet, gerät zunehmend unter einen Leistungsdruck, der jede fruchtbare pädagogische Arbeit erstickt.

Daß der Konkurrenzdruck auf den Kindern unserer Tage schwerer lastet als auf anderen Jahrgängen, hat auch mit dem Altersaufbau unserer Gesellschaft zu tun. Die ursprünglich starken und durch beide Kriege unterdurchschnittlich dezimierten Jahrgänge 1900 bis 1910 sind in den letzten zehn Jahren aus dem Berufsleben ausgeschieden. Da die Jahrgänge 1911 bis 1927 durch den Zweiten Weltkrieg auf eine verheerende Weise ausgedünnt wurden, sind im Lauf der letzten Jahre wichtige Positionen von Angehörigen der Jahrgänge 1928 bis 1945 besetzt worden. Dies gilt besonders für die Führungspositionen in Wirtschaft, Wissenschaft, Justiz, Bildungswesen und Verwaltung. Der Löwenanteil ging dabei an die starken Jahrgänge der mittleren dreißiger Jahre, die noch etwa 25 Jahre im Berufsleben stehen werden. Manche Position ist damit für 30 oder 25 Jahre besetzt. Hier kamen zwei Vorteile zusammen:
– das Ausscheiden der starken Jahrgänge 1900 bis 1910;
– die rasche Expansion von Wirtschaft, Forschung, Schule, Hochschule und Verwaltung.

Schwieriger wird es schon für die unmittelbar nach dem Zweiten Weltkrieg Geborenen. Sie haben meist noch die erstrebte Beschäftigung gefunden in Industrie, Handwerk und Dienstleistungen, in Verwaltung, Schule oder Gesundheitswesen. Diesen Jahrgängen bleiben meist nur Spitzenpositionen versperrt, diese allerdings für lange Zeit.

Kritisch wird es mit den stärker werdenden Jahrgängen 1950 bis 1965. Hier treffen nahezu alle Nachteile zusammen:

Die Expansion ist in fast allen Bereichen zu Ende, überall wird Personal eingespart, die Führungspositionen sind auf lange Sicht in festen Händen, und nun drängen Jahrgänge ins Arbeitsleben, die wesentlich stärker sind als die vom Kriege geschwächten, die ausscheiden.

Der römische Brunnen beginnt zu sprudeln. Nehmen wir die oberste Schale. Während bis in die fünfziger Jahre 14 Prozent aller Universitätsassistenten Professoren wurden, waren es in den Jahren 1967 bis 1974 76 Prozent: von vier Assistenten konnten also drei Professoren werden. Für die nächsten Jahre haben noch vier Prozent die Chance, also einer von 25, und wenn die vorgesehenen Stellenstreichungen wirksam werden, dürfte es bestenfalls noch einer von hundert sein. Das heißt: Wer 1950 geboren wurde, hat, verglichen mit einem Angehörigen des Jahrgangs 1935, ein Hundertstel der Chance, einen Lehrstuhl zu bekommen.

Also wird der weitaus größte Teil des wissenschaftlich befähigten und ausgebildeten Nachwuchses sich anderswo umsehen: in der privaten Forschung, in der Wirtschaft, bei Banken und Versicherungen, im Verlagswesen, in der Publizistik, in der Verwaltung und in der Schule. Aber da sieht es nicht grundsätzlich anders aus. Die Zahl der Zeitungs- und Zeitschriftenredaktionen nimmt rasch ab, die der Verlage zumindest nicht zu. Die Verwaltung im engeren Sinne – und dafür gibt es zwingende politische Gründe – muß einfacher und billiger werden, braucht also nicht mehr, sondern weniger Personal. Der Abbau von 60000 Stellen bei der Bundesbahn bis 1979 dürfte dort ähnliche Verhältnisse schaffen, und zwar auch beim einfachen und mittleren Dienst. Juristen werden meist nur noch mit weit überdurchschnittlichen Examina in den Staatsdienst übernommen, das schließt vier Fünftel aus, die nun in die Anwaltspraxen drängen oder, da auch hier der Bedarf seine Grenzen hat, als Sachbearbeiter bei Versicherungen Nicht-Akademikern die Arbeitsplätze streitig machen. Wenn Banken Lehrlinge einstellen, so verlangen sie häufig das Abitur, wo bislang die mittlere Reife oder der Hauptschulabschluß ausreichte, und die Realschülerin muß froh sein, wenn sie als Schreibhilfe ankommt.

Wir können von Glück sagen, daß der Bedarf an Ingenieuren noch für einige Zeit steigt, daß die steigende Nachfrage nach Technikern wohl erst in einigen Jahren durch die noch rascher steigende Zahl der Anwärter ausgeglichen sein wird, daß Facharbeiter gesucht sind, etwa im weiten Bereich der Metallberufe, daß in anderen Bereichen, wo der Bedarf rückläufig ist, wie bei den Papiermachern, den Holzberufen, den Bauberufen, auch der Zustrom nachläßt, daß bei dem besonders begehrten Elektriker-beruf erst in einigen Jahren mit einem Überhang gerechnet werden muß.

Die letzten aber, die keine Lehrstelle gefunden, keine Lehre abgeschlossen haben, die Hauptschüler ohne Abschluß oder die Sonderschüler, beißen die Hunde. Für sie bleibt nur noch die ungelernte Arbeit und damit die Aussicht auf immer wiederkeh-rende Perioden der Arbeitslosigkeit, da ihre Tätigkeiten von Jahr zu Jahr mehr aus unserem Lande auswandern in Länder, deren Löhne nur einen Bruchteil der unseren ausmachen.

Was sich hier an extremer Chancenungleichheit zwischen den Generationen anbahnt, was manche als Aussperrung einer gan-zen Generation empfinden, belastet unser Schulsystem und un-sere Kinder um so mehr, je länger wir zögern, neue Arbeitsplätze auch und gerade da vorzusehen, wo der wachsende Bedarf an Humandienstleistungen dies verlangt.

Die Jugendlichen unseres Landes reagieren bislang eher ver-halten. Sie entwickeln sich nach Professor Lempp zu angepaßten Neurotikern. Sie werden dies solange tun, wie sie noch hoffen, durch konsequentes Konkurrenzverhalten die Nase doch so weit nach vorn zu bringen, daß sie vielleicht zu den Ausnahmen gehören werden, die sich ihren Platz erkämpfen. Was geschieht, wenn sie begreifen müssen, daß dadurch kein einziger zusätzli-cher Arbeitsplatz entsteht, sondern nur die Anforderungen für die noch vorhandenen noch ein bißchen in die Höhe geschraubt werden? Was geschieht, wenn sich Anpassung und Konkurrenz-kampf schließlich als eine hoffnungslose Tretmühle erweisen? Wir können es nur ahnen.

II

Im Februar 1975 erklärte der Vorsitzende der deutschen Vereini-gung für Jugendpsychiatrie, Professor Lempp, weil die Schule immer mehr zu einem »Selektionsinstrument für weiterführende Institute« werde, führe eine neue »Streberwelle« zu immer mehr psychischen und psychogenen Erkrankungen. Junge Mütter, berichtet Lempp, bekämen schon Angst, daß ihr Kind nicht intelligent genug sei, »wenn es nur 14 Tage nach dem Kind der Nachbarin sprechen lernt«.[86] Diese Angst werde auf das Kind übertragen und beeinträchtigte es, noch bevor es zum erstenmal die Schulbank gedrückt habe.

Weil der Notendurchschnitt, der für das Studium einzelner Fächer verlangt wird, sich nach dem Andrang auf das Fach richtet, dieser wiederum nach den Verdienstchancen im angestrebten Beruf, werden die verzerrten Einkommenshierarchien der Gesellschaft ins letzte Klassenzimmer projiziert.

Weil in der Schule entschieden werden soll, an welcher Stelle der Einkommenshierarchie der junge Mensch seinen Platz finden soll – oder gar, ob er überhaupt einen Platz findet –, wird solidarisches Denken und Handeln schon im Klassenzimmer zum Traum von Romantikern abgewertet. Vernünftige Ansätze, wie etwa die Reform der Oberstufen im Sekundarbereich, werden durch den Numerus clausus in ihr Gegenteil pervertiert: Wo am Beispiel einiger Bereiche das Lernen gelernt werden soll, wird ein halbes Studium vorweggenommen.

Bei vielen Lehrern breitet sich Resignation, Unlust, manchmal auch Zynismus aus. Junge Pädagogen, die voll guten Willens demokratische Erziehung erproben wollten, flüchten sich verstört – und erfolglos – in die Methoden der Großväter.

Bei Schülern mehren sich Verhaltensstörungen, Neurosen, Psychosen und Selbstmorde.[87] Die Familien, die sich nicht selten zu einer psychischen Sanitätsstation oder gar zum Lazarett für den schulischen Konkurrenzkampf degradiert sehen, tun mit ihrem Ehrgeiz oft ein übriges, um ihre Kinder zu überfordern. Nicht selten plagt sich auch die Schule mit dem ab, was in den Familien verbogen oder verdorben wird. Während unser Gesundheitssystem nicht ohne eine große Erziehungsleistung ins Lot gebracht werden kann, wird es Zeit, unser Erziehungssystem danach zu befragen, was es an gebrochenen, mutlosen, drogenabhängigen und kranken Menschen hervorbringt.

Die bildungspolitische Diskussion der letzten Jahrzehnte war geprägt durch Fragen der Bildungsorganisation. Es wurde zu Recht darauf verwiesen, daß ein dreigliedriges Schulsystem nicht mehr in unsere Gesellschaft paßt, zumal die Pyramide des 19. Jahrhunderts – unten die Volksschule für das Volk, darüber die Mittelschule für den Mittelstand, schließlich das Gymnasium für eine kleine Oberschicht – heute auf dem Kopf steht. Spätestens wenn die Hauptschule zur Restschule wird, hat das dreigliedrige System seine Daseinsberechtigung verloren. Aber es zeigt sich jetzt, daß auch die Gesamtschule unter den gegenwärtigen Voraussetzungen nicht leisten kann, was sie leisten soll.

Chancengleichheit kann sie besser, wenn auch keineswegs ausreichend verwirklichen, sie kann auch feinfühliger den Interessen und Begabungsrichtungen der Kinder nachspüren; aber auch die Gesamtschule läßt sich pervertieren, wenn in ihr das Rennen um knapper werdende Berufschancen ausgetragen werden soll.

Die quantitative Ausweitung unseres Bildungssystems war und bleibt eine Leistung, aber hat sie die erhofften Früchte gebracht? Die Zahl der Abiturienten und Studenten ist sprunghaft gestiegen, wir haben mehr Hochschulen, mehr Professoren, mehr Lehrer, kleinere Klassen, längere Ausbildungszeiten, bessere Schulgebäude, höhere Gehälter und mehr Aufstiegschancen für die Lehrer. Nun stellen die Finanzminister fest, daß dies alles seine Grenze haben müsse.

Vor die Wahl gestellt, ob nun die Flucht nach hinten oder die Flucht nach vorn beginnen soll, haben sich die Beherzteren unserer Bildungspolitiker mit der Abschaffung des Numerus clausus ein ehrgeiziges Ziel gesetzt. Niemand bestreitet, daß diese Flucht nach vorn Härten, Unzuträglichkeiten, für manchen Hochschullehrer auch die Überforderung seiner Kräfte mit sich bringen kann. Es wäre auch unredlich, vergäße man den Studenten zu sagen, daß dies der Abschied ist von jeder Art von Beschäftigungsgarantie für Akademiker. Trotzdem ist der Versuch nötig, einfach um den Druck auf die Schulen, der vom Numerus clausus ausgeht, zu verringern. Und ein gefährlicher, aber mutiger Schritt hat mehr für sich als das resignierte Treibenlassen, an das wir uns in der Bildungspolitik schon gewöhnt hatten.

Denn noch nie konnte man so ratlose Bildungspolitiker sehen wie in der Mitte der siebziger Jahre. Kein Wunder, daß die These Ivan Illichs von der »Entschulung der Gesellschaft«,[88] von keinem Geringeren als Hartmut von Hentig in Deutschland zur Diskussion gestellt, uns den letzten Rest bildungspolitischer Naivität raubte. (Der Autor selbst hat es zweimal abgelehnt, die Verantwortung des Bundeswissenschaftsministers zu übernehmen, letztlich deshalb, weil er zwar die Enttäuschung kommen sah, aber kein praktikables Alternativkonzept zu entdecken oder zu entwerfen vermochte.)

III

Was bedeutet die historische Zäsur dieser Jahre für unser Bildungssystem? Was erwartet die ABC-Schützen des Jahres 1976, wenn sie sich, 20 Jahre alt, in der Gesellschaft des Jahres 1990 oder, 40 Jahre alt, in der Gesellschaft des Jahres 2010 bewähren sollen?

Es ist ziemlich leicht vorauszusagen, daß sie mit dem Wissen und Können, über das sie im zwanzigsten Lebensjahr verfügen, im vierzigsten nicht mehr übermäßig viel anfangen können, wenn sie nicht andauernd dazugelernt haben.

Schon schwieriger ist abzuschätzen, welche Eigenschaften und Fähigkeiten dann verlangt werden. Wenn es wahr ist, daß wir schon heute nicht alles tun dürfen, wozu Wissenschaft und Technik in der Lage wären, dann ist anzunehmen, daß sich der Abstand zwischen dem, was wir können, und dem, was wir für verantwortbar halten, im Laufe des Lebens dieser Kinder erweitert. Die Fähigkeit, verantwortlich mit komplizierten und teuren Apparaturen umzugehen, könnte nicht weniger gefragt sein als die, neue zu erfinden. Die Bereitschaft und der Wille, in sachlicher Diskussion mit andern zu einer klaren Entscheidung durchzustoßen, könnte wichtiger werden als der Ehrgeiz, andere durch Leistung zu überflügeln. Der Mut, unpopuläre Erkenntnisse zu vertreten und umzusetzen, könnte mehr zur Mangelware werden als die Fähigkeit, möglicherweise unbrauchbaren Wissensstoff anzuhäufen. Wo unvermehrbare Ressourcen knapp werden, wo winzige Gruppen, wenn sie ihre Interessen rücksichtslos durchsetzen wollen, die komplexe Apparatur einer Industriegesellschaft lahmlegen können, dürfte solidarisches Handeln zur Voraussetzung für humanes Überleben werden.

Kurz: Für unsere Kinder könnte genau das wichtig werden, was sie in unseren Schulen und Universitäten nicht lernen, gelegentlich sogar verlernen, wenn sie es anderswo gelernt haben.

Hartmut von Hentig hat einmal zusammengestellt, welche Erfahrungen unseren Kindern vermittelt werden müßten:

– »Die freie Wahl zwischen wirklichen Alternativen, die, als Ernstfall, schwierig und manchmal schmerzlich sind.

– Die Möglichkeit, eine falsche Wahl aufzugeben, eine neue zu treffen, und das mit dem Gefühl, nicht eine Niederlage erlitten, sondern das Vernünftige getan zu haben.

– Das Ausharren bei einer Sache, das Liebgewinnen und Pflegen einer Bindung, die einen stärkt und beansprucht.

– Die Bildung, der Wechsel und die Auflösung der Gruppen, in denen man Unterschiedliches tut und erfährt.

– Die Nützlichkeit des Wissens, das man erwirbt.

– Versuch, Anwendung, Scheitern – die Aufhebung des unseligen Überhangs der Erkenntnis über das Handeln.«[89]

Es läßt sich kaum bestreiten, daß in diesen Forderungen manches von dem mitschwingt, was in diesem Buch Wertkonservatismus genannt wird. Aber gerade dies läuft nicht auf die Konservierung der Strukturen hinaus. Wenn, wie von Hentig formuliert, Lernbereitschaft – für ihn dasselbe wie die Weigerung, sich einfach treiben zu lassen – angewiesen ist

– »auf Motivation (es ist mir ... wichtig),
– auf Nähe zur Wirklichkeit, zur Handlungsmöglichkeit (es funktioniert auch in dieser Welt),
– auf Sozialität (es läßt sich mit andern teilen, gemeinsam tun und gemeinsam wichtig finden)«,

dann zielt dies offenkundig nicht auf mehr institutionalisierte Autorität, sondern auf »Mitsprache, Mitteilung, Mitbestimmung«.[90]

IV

Unsere Kinder werden in der Lage sein müssen, neue Tatsachen und neue Erkenntnisse richtig einzuordnen, und dazu bedarf es geistigen Trainings und eines Grundstocks von Wissen. Deshalb werden auch die Schulen auf Leistungswettbewerb nicht verzichten können. Aber ein solcher Wettbewerb muß nicht in einer Atmosphäre des verzweifelten Kampfes um den Platz an der Futterkrippe, er kann sehr wohl auch in einem Klima fröhlichen Spiels geschehen, immer vorausgesetzt, daß es dabei nicht um Weichenstellungen für ein ganzes Leben geht.

Da wird es auch möglich, der Förderung wieder Priorität vor der Auslese zu geben. Unser Schulwesen ist immer perfekter geworden, wenn es darum geht, unseren Kindern nachzuweisen, wo sie am schwächsten sind, und immer unzulänglicher, wenn es darum geht, sie zu fördern, wo sie am stärksten sind. Darauf aber kommt es an.

In einen solchen Lernprozeß ließe sich, was sich nach neueren Forschungen, etwa von Bronfenbrenner, als äußerst nützlich erwiesen hat, auch die Familie eher einbeziehen, die bislang nur als unbezahlter Büttel oder Hilfslehrer in Aktion tritt. Es ist erstaunlich, wie wir uns mit der unerträglichen Tatsache abgefunden haben, daß die Eltern meist ebensowenig von der Lebenswelt ihrer Kinder in der Schule wissen wie die Lehrer von der Lebenswelt des Kindes zu Hause. Beide, Eltern und Lehrer, haben bislang nur ein unvollständiges Bild von den Kindern, die sie erziehen sollen. Eltern, die sich in der Schulwelt ihrer Kinder auskennen, werden bessere Eltern, Lehrer, die die Familienverhältnisse des Kindes kennen, bessere Lehrer.

Um ein beliebtes Mißverständnis gleich auszuscheiden: Hier wird nicht gegen Leistung argumentiert. Ein gesundes Kind will etwas leisten, es will an seiner Leistung wachsen. Nur: Wir verwechseln Leistung mit Erfolg, und Erfolg wird in unserer Gesellschaft meist in Mark und Pfennig gemessen, oder doch in der Anwartschaft darauf.

Ludwig von Friedeburg hat seinen Leistungsbegriff so formuliert: »Daß Lernen, das Spaß macht, leichter fällt, bedeutet nicht, es könne oder solle auf die Anstrengungen des Begriffs verzichtet werden. Das Ergebnis solcher Anstrengung ist Leistung.«

Leistung kann sich auch ausweisen in gelungener Partnerschaft, praktizierter Solidarität, Mut zur Entscheidung, ernst genommener Verantwortung, aktiver Toleranz, Bereitschaft zur Revision der eigenen Ansicht, Annahme unheilbaren Leidens.[91]

Aus solchen Einsichten ergeben sich als Zielvorstellungen:

- Die Schule muß vom Druck eines perfektionierten Berechtigungswesens entlastet werden. Den Entscheidungen der Schule muß der Charakter des Endgültigen, Unwiderruflichen genommen werden.
- Wenn weder die Schule noch die Hochschule den jungen Menschen mit dem Wissen ausstatten können, das er in seinem Arbeitsleben braucht, ist es unsinnig, ihn mit Stofffülle zu überfordern.
- Die Chance zur periodischen Weiterbildung im Laufe eines Arbeitslebens ist für den einzelnen und die Gesellschaft wichtiger als eine ununterbrochene Ausbildung von fünfzehn oder zwanzig Jahren, die ohnehin nur wenigen zugute kommen kann.
- Erziehung zu solidarischem Handeln und demokratischer Mitverantwortung muß denselben Rang haben wie die Vermittlung von Wissen.
- Die Schule muß sich zur Familie hin, die Familie zur Schule hin öffnen.

V

Im ›Bericht '75 der Bildungskommission des Deutschen Bildungsrats‹ heißt es: »Die Möglichkeit, sich nach Abschluß der beruflichen Erstausbildung und einer Zeit der Berufstätigkeit zusätzlich zu qualifizieren, könnte auch die Schulen von Selektionswirkungen entlasten. Der relativ frühe Wechsel ins Beschäftigungssystem wird eher zumutbar, wenn der Übergang ins Berufsleben nicht gleichbedeutend ist mit der Aufgabe jeder Chance zum Erwerb anderer und höherer Qualifikationen.«[92]

Von solchen Zielvorstellungen aus ist es nicht weit zu dem Bildungskonzept, das im angelsächsischen Bereich unter dem Namen »recurrent education« bekannt geworden ist.

Ins Deutsche wird dieser Begriff übersetzt mit »Ausbildung und Praxis in periodischem Wechsel«. Bei aller Vorsicht und bei allen Vorbehalten, die gegenüber jedem bildungspolitischen Konzept angebracht sind, scheint sich hier doch so etwas wie eine Perspektive zu öffnen. Das ideale Bildungssystem gibt es nicht, aber vielleicht das erträgliche.

Das Zentrum für Bildungsforschung und Bildungsinnovation (CERI), eine Institution der OECD, hat 1973 eine Studie über »recurrent education« vorgelegt als Grundlage für eine Diskussion der 9. Europäischen Erziehungsministerkonferenz im Juni 1975 in Stockholm. Im Vorwort dazu heißt es: »Die hochentwickelten Gesellschaften des zwanzigsten Jahrhunderts verhalten sich so, als ob es möglich wäre, Bildung so weit auszubauen und zu streuen, bis jede vorhandene Begabung zur Entfaltung gebracht werden kann. Unter dieser Voraussetzung wäre die Schule einer der Hauptwege zu größerer sozialer Gerechtigkeit.

Diesen Weg zur sozialen Gerechtigkeit auf der Basis allgemeiner Bildung erblickte man in einem bruchlosen, langwierigen Prozeß, der ebenso Vorschulerziehung wie Primarschule, Sekundarschule und Hochschule umfaßt. Es scheint, als ob man 15 bis 20 Jahre ununterbrochenen Eingespanntseins in diverse Erziehungssysteme als den geeignetsten Weg zur Entwicklung des Individuums und zur sozialen Gerechtigkeit betrachtete.«[93]

Für »recurrent education« spricht nach Meinung der CERI: »Erstens hat der Ausbau des Bildungswesens nicht im erwarteten Maße zum sozialen Ausgleich beigetragen, zweitens können Gesellschaften, deren sozialer und ökonomischer Strukturwandel vom einzelnen ständige gesellschaftliche und berufliche Neuorientierung verlangt, nicht ohne irgendeine Form von ständiger Fort- und Weiterbildung auskommen, und drittens macht die für die meisten Schulsysteme so typische Trennung zwischen schulischer Bildung und Lernen durch Erfahrung eine Art Entschulung erforderlich. Schließlich würde Ausbildung und Praxis im periodischen Wechsel auch die Kluft zwischen dem heute für einen Jugendlichen verfügbaren Bildungsangebot und den Bildungsmöglichkeiten der älteren Generation verringern.«

Das Konzept geht aus von den bestehenden Schwierigkeiten: »Solange die Aufnahme eines Hochschulstudiums der einzige Weg zu beruflichem und gesellschaftlichem Erfolg bleibt, bleibt es auch bei dem Ansturm auf die Universitäten, und Sekundarschulen bleiben weiterhin die ›Vorzimmer der Hochschulen‹. Geboten scheint eine Reform der Oberstufe der Sekundarschulen, um einen glatteren Übergang in die Arbeitswelt zu ermöglichen und der Entscheidung zwischen Universitätsstudium, Arbeit oder sozialen Berufen etwas von ihrer bisherigen Unwiderruflichkeit zu nehmen.

Eine derartige Politik kann aber nur dann von Erfolg gekrönt sein, wenn ein flexibleres postsekundares Bildungssystem periodisch Möglichkeiten der Erwachsenenbildung eröffnet, so daß niemand, der sich für Arbeit oder einen sozialen Beruf entschieden hat, unwiderruflich für diesen Entschluß büßen muß.«[94]

Zu den Kernpunkten dieses Konzepts gehört:
– Die letzten Jahre der Pflichtschulzeit sollten vom Lehrplan her so gestaltet werden, daß sie jedem Schüler eine Entscheidung zwischen weiterem Studium und Berufsarbeit ermöglichen;
– jederzeit nach dem Verlassen der Pflichtschule sollte der Zugang zu einer weiterführenden Ausbildung garantiert sein;
– das Bildungsangebot sollte so beschaffen sein, daß Bildung und Ausbildung jedem einzelnen offenstehen, wo und wann immer er sie braucht;
– bei den Zulassungsbestimmungen und der Lehrplangestaltung sollten Arbeitswelt und andere soziale Erfahrungen bestimmend sein;
– jede Laufbahn sollte intermittierend, d. h. mit Unterbrechungen, die durch Wechsel zwischen Studien und praktischer Arbeit bedingt sind, beschritten werden können;
– Grade und Zeugnisse sollten nicht mehr als Endresultate eines Bildungsweges, sondern eher als Stufen und Wegweiser zu einem Prozeß lebenslanger Weiterbildung gewertet werden;
– schließlich sollte der Gesetzgeber jedem einzelnen nach Abschluß der Pflichtschule das Recht einräumen, periodisch Bildungsurlaub zu nehmen, ohne daß er dabei den Verlust seiner Stellung riskiert.[95]

Die Autoren sehen in einem solchen Konzept auch ein »Regulationsinstrument in Zeiten der Arbeitslosigkeit«,[96] also die

Chance, die Spanne zwischen zwei Arbeitsverhältnissen produktiv zu nutzen, sich auf neue Arbeit vorzubereiten.

Hier liegt ein wichtiger Ansatz. Wir werden uns in einer Zeit rascher Strukturveränderungen, in einer Zeit, in der die Produktion möglicherweise weniger steigt als die Produktivität, also arbeitsfreie Zeit erzeugt wird, ohnehin etwas einfallen lassen müssen, damit sich der vorübergehend Arbeitslose nicht nur sozial gesichert, sondern auch als vollwertiges aktives Glied der Gesellschaft fühlen kann.

Da offenbar alle Bildungssysteme innerhalb der OECD, also der nichtkommunistischen Industrieländer, in demselben Spital krank liegen, gehen die Autoren auch auf die Leistungsbewertung ein: »In einem System periodischen Wechsels zwischen Ausbildung und Praxis müssen Konkurrenzdenken und übertriebener Individualismus als Elemente der Leistungsbewertung aufgegeben werden.«[97]

VI

Sicher zielt »recurrent education« auf eine Integration des gesamten Bildungsbereichs nach der Pflichtschulzeit, also der Gymnasialoberstufe, der Berufsbildung, der Hochschule und der Erwachsenenbildung. Der Einwand, dies lasse sich nicht in wenigen Jahren erreichen, ist richtig, aber irrelevant. Es könnte auch für kleine praktische Schritte in den nächsten Jahren entscheidend sein, ob wir uns in dieser Richtung bewegen wollen oder nicht. Möglicherweise haben wir uns schon seit einiger Zeit dahin bewegt: Die Durchlässigkeit zwischen Schularten, der Zwang zur Verkürzung von Studienzeiten, die Aufstufung von Fachhochschulen, die Aufwertung der Berufsbildung, der neue Akzent auf der Erwachsenenbildung weisen in diese Richtung. Ein nächster Schritt könnte die Reform der beruflichen Bildung und ihre stärkere Verzahnung mit dem allgemeinbildenden Schulwesen sein, ein anderer könnte darin bestehen, bei der Zulassung zur Hochschule die Schulzeugnisse weniger, Erfahrung und Bewährung im praktischen Berufsleben stärker zu werten. Auch die Forderung nach einem »koordinierten Weiterbildungssystem als viertem Bereich des Bildungswesens«, wie sie im Entwurf eines Orientierungsrahmens von der Langzeitkommission der SPD erhoben wird, hat offenbar dasselbe Ziel im Auge.

Es ist hier nicht der Ort, alle Vorteile, Schwierigkeiten und Tücken dieses Ansatzes darzustellen. Natürlich stellt sich auch hier die Frage der Kosten, einmal der Finanzierung der Bildungsleistungen im engeren Sinne, zum andern – und dies wird eines der Schlüsselprobleme sein – die Unterstützung des einzelnen oder auch seiner Familie während der Teilnahme an Lehrgängen. Aber es sind durchaus Modelle denkbar, die zumindest nicht dieselbe Kostenexplosion hervorrufen wie das gegenwärtige System. Natürlich wird man darauf achten müssen, daß nicht auch die Bildungsangebote der periodischen Erziehung überwiegend von denen benutzt werden, die ohnehin schon einen hohen Bildungsstand haben. Daher müßte man sich zuerst auf die Erwachsenen mit geringerer Schulbildung konzentrieren und bei Zuschüssen für den Lebensunterhalt Grenzen setzen für die Gesamtdauer der – von der Öffentlichkeit finanzierten – Bildungszeit.

Ernstzunehmen ist auch der Einwand der Illich-Schüler, auch ein solches Bildungssystem werde lediglich wieder die alten Strukturen unserer Gesellschaft reproduzieren, es werde nicht die kritische Distanz zur Gesellschaft haben, die für deren Veränderung nötig sei. Auch wenn dem entgegenzuhalten wäre, daß keine Gesellschaft sich am Schopf ihres Bildungswesens aus dem Sumpf ziehen kann, weil die Gesellschaft immer mindestens ebensosehr auf das Bildungssystem wirkt wie das Bildungssystem auf die Gesellschaft, so wird doch darauf zu achten sein, daß nicht Machtgruppen innerhalb der Gesellschaft sich der Institutionen eines solchen flexiblen und vielgliederigen Systems bemächtigen.

Natürlich wird man verhindern müssen, daß einfach die herkömmlichen Methoden des Schulunterrichts – falls man bei der Vielfalt der Methoden heute davon noch sprechen kann – auf ein völlig anderes System übertragen werden. Sicher wird sich das Verhältnis des Lehrenden zum Lernenden und damit auch des Lernenden zum Lehrenden verändern müssen bis hin zu dem Punkt, wo Erwachsene im gegenseitigen Erfahrungsaustausch lernen.

Wir tun gut daran, von Bildungsreformen keine Wunder zu erwarten, zumal Bildungssysteme den Erfordernissen der Zeit immer hinterherhinken. Aber wir brauchen eine Perspektive, um die Resignation zu überwinden, die sich wie Mehltau über die Bildungspolitik gelegt hat. Wir brauchen eine Perspektive, die vielen vernünftigen Einzelmaßnahmen ein Ziel setzt: ein flexibles Bildungssystem, das, fehlerhaft wie alle Bildungssysteme, den Erfordernissen der Zukunft besser entspricht als das bestehende.

12. Kapitel:
Westen – Osten – Süden

I

Noch nie in der Geschichte waren Innen- und Außenpolitik so vielfältig verflochten wie heute. Jede Aufwertung der Mark, jede Auslandsinvestition einer deutschen Firma, jede Subvention für unsere Bauern, jede Maßnahme zur Dämpfung oder Belebung der Konjunktur sind ein Stück Außenpolitik. Wenn wir ausländischen Arbeitnehmern nicht dasselbe Kindergeld zukommen lassen wie deutschen, ist dies – schlechte – Außenpolitik, die durch keine diplomatischen Bemühungen wettzumachen ist. Das Verhalten der deutschen Zuschauer bei der Olympiade war – gute – Außenpolitik. Gleichzeitig machte das Massaker von München klar, daß auch unsere innere Sicherheit davon abhängt, ob es zu einem für alle annehmbaren Frieden im Nahen Osten kommt. Ob in der Bundesrepublik ein Polizeistaat entsteht, liegt nicht nur am guten oder bösen Willen unserer Politiker. Wenn die Zahl der jugendlichen Arbeitslosen in der Dritten Welt in demselben Tempo weiter ansteigt wie in den letzten Jahren, dürften wir einen Terrorismus erleben, der die Liberalität unseres demokratischen Rechtsstaates rasch unterspült. Es ist durchaus möglich, daß wir die Realität von Weltinnenpolitik in der Form eines Weltbürgerkrieges erfahren.

Konstruktive Ostpolitik läßt sich sehr wohl vereinbaren mit einer scharfen Abgrenzung gegen den Kommunismus im Innern – sie setzt diese sogar voraus –, nicht aber mit einem hysterischen Antikommunismus. Das atlantische Bündnis kann durchaus bestehen, wenn wir die Gesellschaft der USA distanziert-kritisch betrachten, nicht, wenn undifferenzierter Anti-Amerikanismus bei uns überhand nimmt. Erfolgreiche Afrikapolitik verlangt nicht, daß unsere Zeitungen über Amin oder Bokassa zartfühlender berichten, als dies tansanische oder senegalesische Blätter tun. Aber sie wird unmöglich, wenn eine wirtschaftlich mächtige

Südafrika-Lobby mit Hilfe eines guten Teils unserer veröffentlichten Meinung sichtbar auf unsere Politik gegenüber Afrika einwirkt.

Am unbarmherzigsten zeigt sich die Verflechtung von Außenbeziehungen und inneren Strukturen bei der Entwicklungspolitik. Wie sich an Quantität und Qualität schwedischer oder niederländischer Entwicklungshilfe das weltoffene Klima und die gesellschaftlichen Machtverhältnisse dieser Länder ablesen lassen, so spiegeln Zahlen und Zweckbestimmung der US-Auslandshilfe die Krise der US-Gesellschaft wider. Daß der entwicklungspolitische Spielraum in der Bundesrepublik seit Mitte 1973 zunehmend enger wurde, entspricht genau den Prozessen, die sich in anderen Bereichen unserer Gesellschaft vollzogen.

II

Die Bundesrepublik hat durch die Politik Willy Brandts in den Ost-West-Beziehungen eine optimale Position gefunden. In den sechziger Jahren nahm das politische Gewicht der Bundesrepublik im Westen in dem Maße ab, wie unsere NATO-Partner Kooperation mit dem Ostblock suchten. Unsere Weigerung, die Ergebnisse des Zweiten Weltkrieges hinzunehmen, hätten wir nach Osten noch einige Zeit durchhalten können, nach Westen nicht. Die Friedenspolitik nach Osten war für die frühen siebziger Jahre die einzig erfolgreiche Westpolitik. Und die wachsende Unterstützung im Westen machte die Bundesrepublik zum begehrten Partner im Osten. Wenn es gelingt, diese optimale Position zu halten, so ist damit etwas erreicht, was sich in den sechziger Jahren niemand hätte träumen lassen.

Zu den denkbaren Bruchstellen, die diese Position gefährden könnten, gehört die Europäische Gemeinschaft. Eine Sowjetunion, die sich mit der Realität Westeuropas abgefunden hat, wird nicht dieselbe Westpolitik betreiben wie eine, die hoffen kann, geschwächte westeuropäische Nationalstaaten gegeneinander auszuspielen. Dies ist beileibe nicht der einzige, nicht einmal der wichtigste Grund, für die Einigung Westeuropas zu streiten, aber er würde für sich allein ausreichen.

Es gehört zu den Merkmalen des Staatsmannes, daß er im entscheidenden Augenblick ökonomische Erwägungen und Interessen seinen politischen Zielen unterordnet. Konrad Adenauer hat dies ebenso getan wie Willy Brandt. Beide haben recht behalten. Wird die ökonomische Großmacht Bundesrepublik vor die Frage gestellt, ob sie ökonomische Potenz in politische Münze, in die Realisierung des politisch Nötigen und Wünschbaren umsetzen oder ob sie auf politisch Realisierbares verzichten will, um ihre ökonomische Potenz weiter zu stärken, muß sie sich im Zweifelsfall für ersteres entscheiden. Wer dies nicht einsieht, hat die Fakten der politischen Geographie ebenso vergessen wie die der europäischen Geschichte.

Dies gilt zuerst für den europäischen Zusammenschluß. Es mag taktisch immer wieder nötig sein, auf die Grenzen unserer wirtschaftlichen Leistungsfähigkeit zu verweisen; die Felder europäischer Politik aus fiskalischen Gründen zu beschränken oder gar zu reduzieren liegt nicht in unserem Interesse.

Eine andere denkbare Bruchstelle liegt im Verhältnis zu Polen. So richtig es war, mit der Ostpolitik in Moskau zu beginnen, so unerläßlich es sein mag, auch künftig vor allem die Beziehungen zur Sowjetunion intakt zu halten, so fatal wäre es, wenn in Polen der Eindruck entstünde, wir hätten es nun nicht mehr nötig, uns um Polen zu kümmern. Wir dürfen in Moskau nie den Eindruck erwecken, wir wollten an der Sowjetunion vorbei mit ihren Verbündeten politische Geschäfte machen. Aber wir dürfen auch nicht in Warschau Erinnerungen wecken an Zeiten, wo Deutsche und Russen sich auf Kosten der Polen verständigten. Hier ist uns weniger ein Balanceakt abverlangt als eine politische Reifeprüfung, ein Maß an politischem Takt, das bei den Bundeskanzlern der letzten Jahre stärker ausgeprägt war als bei manchen Berufsdiplomaten.

III

Was sich in den sechziger Jahren in unserem Verhältnis zum Osten abzeichnete, droht heute in unserem Verhältnis zum Süden. War damals unsere Stellung im Westen dadurch belastet, daß wir als einziges Land in der östlichen Schußlinie blieben, so könnte es jetzt geschehen, daß wir in der Auseinandersetzung zwischen Nord und Süd das europäische Land werden, auf das sich Kritik und Zorn der südlichen Halbkugel konzentriert. Und eben dies kann nicht ohne Auswirkung bleiben auf unsere Stellung in den Ost-West-Beziehungen. Was Adenauer nach Westen und Brandt nach Osten zuwege gebracht haben, muß nach Süden erst noch geleistet werden.

Tatsache ist, daß die Sprecher vieler Entwicklungsländer bei ihren Angriffen gegen die westlichen Industrieländer die Bundesrepublik – nach den USA – am häufigsten ins Visier nehmen. Das war schon so, ehe die Delegation der Bundesrepublik auf der Welthandelskonferenz in Nairobi 1976 die Deklamation marktwirtschaftlicher Dogmen mit Politik verwechselte und damit für eine eigene Version des häßlichen Deutschen sorgte: des Deutschen, der, wieder reich geworden, anstatt zu helfen, sich selbst zur Nachahmung empfiehlt. Nun mag man nachweisen, daß viele Angriffe auf zweifelhaften Informationen beruhen, daß allein schon unsere wirtschaftliche Macht uns Argwohn zuzieht, daß manche sich von der DDR aufhetzen lassen. Man mag es auch für Realismus halten, solche Angriffe nicht ernst zu nehmen, denn wieviel Bataillone haben Julius Nyerere oder Frau Bandaranaike? Man mag auch wehleidig reagieren, wie ungerecht dies doch sei, wieviel wir doch für diese Länder schon getan hätten, wie wenig Dankbarkeit wir erführen.

Vernünftiger ist es wohl, über die Ursachen nachzudenken. Wie sieht diese Republik aus, wenn man sie von Algier oder Delhi aus betrachtet? Wann immer ein Land der Dritten Welt aus der Kolonialherrschaft in die Unabhängigkeit entlassen wurde, tauchten in der Dritten Welt unsere Diplomaten auf. Sie hatten die Weisung, mit nahezu jedem Mittel eine Anerkennung der DDR zu verhindern. Sicher, sie waren auch bereit, sich die Sorgen ihrer Gastländer anzuhören, hier eine Straße, dort eine technische Schule zu finanzieren. Aber ihr ganzes Denken drehte sich um einen einzigen Punkt: Die DDR darf nicht Fuß fassen. Und das wurde mit der Zeit lästig. Zunehmend kamen deutsche Geschäftsleute ins Land, solide und solche, die nach dem »hit and run«-Prinzip ihre Geschäfte machten ohne Rücksicht darauf, ob die Ölmühle an der richtigen Stelle stand, die Düngemittelfabrik rentabel produzieren konnte oder die rücksichtslos kahlgeschlagenen Waldflächen erodierten und verkarsteten.

Wenn es um die Bekämpfung des Rassismus ging, waren die Deutschen verbal immer dabei, wenigstens soweit sie die Bundesregierung vertraten. Aber in Südafrika und Namibia erwiesen sich Deutsche – mit deutschem Paß und ohne – als die verbohrtesten Rassisten. In Cabora Bassa waren deutsche Firmen vorn, nicht, weil sie an die rasche Unabhängigkeit Mozambiques, sondern allen Ernstes den Diplomatenberichten glaubten, die ein Sicherheitsrisiko ausschlossen. Schließlich ging es um deutsche Interessen. (Daß daraus ein Bürgschaftsfall für den Steuerzahler werden könnte, da die Frelimo keineswegs alle finanziellen Verpflichtungen der Portugiesen übernimmt, könnte der Sache noch eine ironische Pointe geben.)

Als der ökumenische Rat der Kirchen einen Sonderfonds für Befreiungsbewegungen gründete, begann in Deutschland eine gründliche theologische Diskussion über die Gewalt, an die niemand gedacht hatte, als es um die Unterstützung des aufständischen Biafra gegen die Zentralregierung in Lagos ging. In großen Teilen der Presse wurden die Freiheitskämpfer in den portugiesischen Kolonien nicht besser – und auch nicht klüger – behandelt als 15 Jahre vorher die in Algerien. Sie waren Rebellen gegen die Obrigkeit, und das genügte in Deutschland für feindselige Ablehnung.

Fast überall, wo der Süden sich gegen den industrialisierten Norden auflehnte, in Algerien, in Vietnam, im südlichen Afrika, teilweise auch im Nahen Osten, sahen die meisten Deutschen nur Schauplätze des ihnen geläufigen Ost-West-Konflikts, Machenschaften der Kommunisten, und sie wußten daher auch, auf welcher Seite sie zu stehen hatten.

Ereignisse, die andern die Tiefe der historischen Zäsur vor Augen führten, daß nämlich zum erstenmal seit der Renaissance der Süden dem Norden einen Preis, den Ölpreis, aufzwingen oder in Vietnam ein kleines Bauernvolk des Südens die Vormacht des Nordens schlagen und demütigen konnte, wurden in Deutschland eher als lästige Zwischenfälle abgetan.

Kein Land außer den USA vericht so penetrant jene These, die für die meisten Entwicklungsländer aufgrund von zwei Jahrzehnten Erfahrung nur als Verhöhnung ihres Elends empfunden werden kann: daß es nämlich vor allem darauf ankomme, das Wachstum in den Industrieländern in Gang zu halten oder wieder in Gang zu bringen, dann werde auch für die Armen etwas davon abfallen[98] – eine These, der z. B. die schwedische Entwicklungspolitik seit Beginn der siebziger Jahre energisch widerspricht.[99]

Mochte man Engländern und Franzosen ihre Kolonialmethoden – und deren Fortsetzung mit anderen Mitteln – übelnehmen, so engstirnig provinziell wie die Deutschen empfand man sie nicht.

Und hier sind wir ziemlich nahe an der Wurzel des Unbehagens: Ein Volk, das – ohnehin kontinental orientiert – durch seine Teilung mehr als andere in den Kategorien des Ost-West-Konfliktes denken gelernt hat, wirkt aufreizend provinziell, wenn es um die Nord-Süd-Problematik geht.[100] Und dieses

Volk wächst aufgrund seiner wirtschaftlichen Kraft in eine Verantwortung hinein, die es nie wollte und mit der es nicht viel anzufangen weiß.

Im Jahr 1974 hat sich dieses Unbehagen aus mehreren Gründen wesentlich verschärft. Die Bundesrepublik begann genau in dem Augenblick auf der Bühne der Vereinten Nationen zu agieren, als das Selbstbewußtsein und die Empfindlichkeit der Entwicklungsländer nach der Erhöhung der Ölpreise gewachsen war. Um so gereizter stellten die Vertreter aus der südlichen Erdhälfte fest, daß die praktische Politik der Bundesrepublik nicht ganz den Grundsätzen entsprach, die der deutsche Bundeskanzler und sein Außenminister in ihren Antrittsreden verkündet hatten. Dazu kam der Rücktritt Willy Brandts, dessen Ansehen vieles überdeckt hatte, was an Groll längst vorhanden war.

Daß das wirtschaftlich gesündeste und durch die Ölkrise am wenigsten erschütterte Industrieland unmittelbar danach seine – im internationalen Vergleich ohnehin nicht üppige – Finanzplanung für Entwicklungshilfe zusammenstrich, weil es die Steuern drastisch senken wollte, hätte auch dann ein übriges getan, wenn dies nicht zum Rücktritt des Entwicklungsministers geführt hätte.

Und daß dieses Land anschließend jeder anderen Form von Ressourcen-Transfer, sei es die Verbindung von Sonderziehungsrechten mit Entwicklungshilfe, sei es eine Neuordnung des Rohstoffmarktes, am unerbittlichsten widersprach, hat die Bundesrepublik im Nord-Süd-Verhältnis inzwischen genau in die Position manövriert, in der sie sich Mitte der sechziger Jahre im Ost-West-Verhältnis vorgefunden hatte.

IV

Die Frage für die zweite Hälfte der siebziger Jahre lautet: Wie kann die Bundesrepublik als Teil des Westens in der Südpolitik eine Aufgabe erfüllen, die ihrer Funktion in der Ostpolitik entspricht? Wie wird dieser mächtige Industriestaat mit der Verantwortung fertig, die ihm ohne oder gegen seinen Willen zugewachsen ist? So deutlich die Analogie zur Ostpolitik in die Augen springt – haben wir in den sechziger Jahren nicht auch Politik mit der Deklamation hehrer Grundsätze verwechselt? –, so wenig Analogien wird es in der Methode geben können, die uns aus der Sackgasse herausbringt. Zähes Feilschen um Interessenausgleich konnte das Stichwort sein für zwei mächtige, gleichwertige Gegenspieler, nicht für zwei Erdhälften, von denen die eine der andern an militärischer, wirtschaftlicher und technologischer Macht unendlich überlegen ist.

Unsere Südpolitik wird außenpolitisch vor allem auf drei Feldern konstruktive Antworten finden müssen: in unserer Haltung gegenüber dem südlichen Afrika, dem Nahost-Konflikt und der UNO; schließlich in einer Entwicklungspolitik, die in alle Bereiche der Innenpolitik hineinwirkt, bis hin zu unserem persönlichen Lebensstil.[101]

Daß die Tage der weißen Herrschaft im südlichen Afrika gezählt sind, daß die Diktatur von Minderheiten noch in diesem Jahrzehnt entweder durch politische Absprache oder – wahrscheinlicher – durch den blutigen Ausbruch angestauten Hasses ein Ende nehmen dürfte, dämmert inzwischen auch denen, die noch vor kurzem mit weit hergeholten militär-strategischen Argumenten den Status quo in diesem Raum glaubten verteidigen zu müssen. Kenner der Szene, gleich welcher Hautfarbe, 1971 befragt, gaben dem portugiesischen Kolonialregime bestenfalls noch fünf Jahre. Es dauert keine drei Jahre. 1975 gaben sie dem Smith-Regime in Rhodesien keine zwei Jahre, der weißen Herrschaft in Südafrika keine sechs Jahre mehr. Sobald die winzige weiße Minderheit in Rhodesien ihren halsbrecherischen Versuch der Machterhaltung aufgeben muß, tritt die Auseinandersetzung um Südafrika in eine dramatische, möglicherweise schon blutige Phase. Daran läßt sich mit kleinen Zugeständnissen – Aufgabe der »petty Apartheid« – kaum mehr etwas ändern. Daß sich solche Einsichten in Deutschland erst durchzusetzen begannen, als der US-Außenminister 1976, wie ein afrikanischer Staatspräsident formulierte, »Afrika entdeckt« hatte, hat dem Ansehen der Bundesrepublik sicher nicht genützt.

Es gibt Deutsche, die Rassendiskriminierung im südlichen Afrika verrechnen wollen gegen andere Diskriminierungen, etwa in kommunistischen Staaten. Niemand dürfte bestreiten, daß z. B. Christen in der DDR diskriminiert werden, wenn es um öffentliche Ämter oder auch um Ausbildungschancen geht. Sie erleiden Nachteile, weil sie nicht bereit sind, sich einer Staatsideologie zu unterwerfen. Dies berührt weder ihre Selbstachtung noch die Achtung durch die Mitbürger, oft nicht einmal durch die Träger des Systems. Etwas anderes ist die stündliche Demütigung, die den Alltag der Schwarzafrikaner in Südafrika bestimmt. Daß Menschen ihrer Hautfarbe wegen als minderwertig behandelt werden, trifft sie und zumindest den größeren Teil der Menschen auf dieser Erde im Kern ihrer Selbstachtung. Nur so ist zu verstehen, warum geschriebene und ungeschriebene Regeln zwischenstaatlicher Beziehungen unbeachtet bleiben, sobald es um Fragen der Rassendiskriminierung geht.

Daher hat unsere Haltung gegenüber dem südlichen Afrika Auswirkungen auf die gesamte südliche Halbkugel. Manche Fehlgriffe und Versäumnisse sind nicht zu reparieren. Trotzdem müßte eine neue Anstrengung gemacht werden durch
- großzügige Hilfsangebote an Mozambique und Angola;
- enge wirtschaftliche und politische Kooperation mit schwarzafrikanischen Staaten des südlichen Afrika (Sambia, Tansania, Botswana etc.). Unterstützung der von dort ausgehenden Bemühungen um eine rasche und unblutige Beseitigung der Minderheitenherrschaft;
- unmißverständliche Darstellung unseres Standpunktes, daß wir die Verwaltung Namibias durch Südafrika als rechtswidrig betrachten; dazu gehören auch offizielle Kontakte mit SWAPO;
- aktive Unterstützung aller UN-Initiativen für die Unabhängigkeit Namibias und die Beendigung der Minderheitenherrschaft in Rhodesien und der Südafrikanischen Union;
- Aufklärung von Bürgern der Bundesrepublik, die sich in Südafrika niederlassen oder dort investieren wollen, über die gefährliche Zuspitzung der Gegensätze zwischen schwarzen, farbigen und weißen Bürgern dieses Landes; Verweigerung von Kapitalanlagegarantien;
- Unterlassung aller Schritte, die von der südafrikanischen Regierung als Billigung der Apartheid-Politik durch die Bundesregierung oder durch politische Parteien und Organisationen in der Bundesrepublik interpretiert werden können;
- Vorbereitung einer gemeinsamen Haltung der Europäischen Gemeinschaft, vor allem für den Fall gewaltsamer Auseinandersetzungen im südlichen Afrika.

V

Seit dem arabischen Ölembargo gerät jeder, der in Europa den arabischen Standpunkt im Nahost-Konflikt nicht völlig abwegig findet, in den Verdacht, er beuge sich Drohungen oder Erpressungen. Und gerade für Deutsche gibt es mehr als einen Grund, dies nicht zu tun. Das Schicksal des Staates Israel ist bis hin zu den Unbegreiflichkeiten israelischer Außenpolitik mit unserer eigenen Geschichte verknüpft: Ein Volk, das wie kein anderes die totale Wehrlosigkeit gegen einen unmenschlichen Feind erfahren hat, das sich wie kein anderes seinen Schlächtern hilflos ausgeliefert sah, neigt verständlicherweise dazu, sich nun zuerst und zuletzt auf seine eigenen Waffen zu verlassen. Die Existenz des Staates Israel kann für keinen deutschen Politiker ein Verhandlungsgegenstand sein.

Aber eben weil dies so ist, müssen wir nüchtern fragen, wie die Völker im Nahen Osten zum Frieden finden können. Israel kann sich keinen Krieg mehr leisten, auch keinen gewonnenen. Bei einem verlorenen – und der wäre früher oder später unvermeidlich – stünde die Existenz Israels auf dem Spiel.

Es ist kein Friede im Vorderen Orient vorstellbar, der nicht drei Elemente enthielte:
– Wiederherstellung der arabischen Souveränität über die 1967 von Israel besetzten Gebiete;
– Schaffung eines palästinensischen Staates in Westjordanien;
– Reale Garantien für die Sicherheit aller Beteiligten und damit auch den Staat Israel.

Es ist durchaus möglich, daß Friede für Israel 1973 noch unter günstigeren Bedingungen erreichbar war. Längeres Zögern wird sie nicht wiederbringen, sondern die gegenwärtigen weiter verschärfen. Die arabischen Länder sehen keinen rechtlichen oder machtpolitischen Grund, weshalb sie auf die Rückgabe ihres Territoriums verzichten sollten. Sie werden sich mit der Anwesenheit israelischer Truppen auf den Golanhöhen nicht abfinden, vielleicht über die Abwesenheit syrischer Truppen mit sich reden lassen, aber eben erst dann, wenn die Souveränität Syriens über dieses Gebiet außer Zweifel steht.

Es dürfte auf längere Sicht nicht möglich sein, die Grenzen im Nahen Osten ohne Truppen der Weltmächte zu sichern. So verständlich der israelische Argwohn gegen internationale Garantien sein mag, andere gibt es nicht für ein Land in der geographischen Lage Israels. Wenn es um die Garantie der Grenzen und der Sicherheit im Nahen Osten geht, wird die Europäische Gemeinschaft nicht abseits stehen können.

Westeuropa wird sich in der Nahost-Politik, je länger der Konflikt schwelt, desto deutlicher auf die französische Linie zubewegen. Auf die Dauer wird es nicht möglich sein, auf dem schmalen Grat zwischen der englischen und der französischen

Fassung der Sicherheitsratsresolution 242 zu balancieren. Das Argument, daß militärische Eroberung keine territorialen Veränderungen mehr legitimieren könne, ist zu einfach und zu eingängig, als daß man dagegen argumentieren könnte – zumal nicht in dem Teil der Welt, wo Israel als Teil des industrialisierten Nordens, die Araber als Repräsentanten des Südens verstanden werden.

Die Isolierung Israels in der öffentlichen Weltmeinung ist darauf mindestens so sehr zurückzuführen wie auf jene Ölwaffe, die, ähnlich anderen modernen Waffen, politisch nur so lange wirkt, wie sie nicht angewandt wird. Niemand kann ein Interesse daran haben, Israel in eine Lage zu manövrieren, in der es sich aus Schwäche gegen Lösungen sperrt, die es aus einer Position der Stärke heraus nicht für annehmbar gehalten hatte. Daher werden wir, die Deutschen wie die Europäer, deutlich machen müssen, daß unser Drängen auf einen Frieden der Vernunft auch im Interesse des Landes ist, dessen einzige Chance eben dieser Friede bleibt.

VI

Es gehört in Deutschland zum guten Ton, die Vereinten Nationen nicht besonders ernst zu nehmen. In der Tat gibt es mehr Beispiele für ihr Versagen als für ihren Erfolg. Seit 1974 kommt dazu der nicht immer glückliche Versuch der Entwicklungsländer, die Vollversammlung zur Tribüne ihrer Anklagen, ihres Aufbegehrens, ihrer Forderungen zu machen, dort ihr neues Selbstbewußtsein auf recht unbequeme Weise zu demonstrieren.

Trotzdem ist es töricht, solche Vorgänge den Vereinten Nationen anzulasten. Was sich am East River in New York abspielt, spiegelt genau den Zustand der Welt wider: die Ressentiments, den Zorn, die Bitterkeit und die Träume derer, die lange genug zusehen mußten, wie die Reichen fast ausschließlich damit beschäftigt waren, reicher zu werden. Es spiegelt die Unsicherheit der Sowjetunion und ihrer Verbündeten wider, denen nichts anderes übrig bleibt, als sich jeweils möglichst unauffällig in den Zug der Protestierenden einzureihen, damit sie nicht selbst in die Schußlinie geraten; schließlich wird in den Vereinten Nationen die überhebliche Ratlosigkeit jener westlichen Länder deutlich, die es nicht nötig haben, mitzuspielen, aber auch nicht die Kraft aufbringen, dieser Weltgesellschaft neue Ziele zu setzen.

Es ist im Ernst nicht zu verlangen, daß es bei den Vereinten Nationen vernünftiger zugehe als auf dem Erdball, dessen Vertreter in den Vereinten Nationen zusammenkommen. Aber gerade deshalb ist ein – besserer – Ersatz für die Vereinten Nationen nicht denkbar. Sie werden nicht unwichtiger, sondern unentbehrlicher. Es gehört schon zum Repertoire der Sonntagsreden in aller Welt, daß es für die meisten Weltprobleme nationale Lösungen nicht mehr gebe: So unerträglich sich dem Beobachter der Ablauf mancher Weltkonferenz über Einzelthemen darstellen mag – auf der Weltbevölkerungskonferenz kam es zu einer Eskalation der Unvernunft –, so sicher ist auch, daß nur so gemeinsame Strategien des Überlebens vorbereitet werden können. Wenn die Vereinten Nationen keinen Anlaß zu großen Hoffnungen geben, dann, weil es dazu insgesamt wenig Anlaß gibt. Trotzdem: Wo sonst als in den Vereinten Nationen und ihren Sonderorganisationen sollen Konzepte für die Energieversorgung, gegen die Umweltzerstörung, den Hunger oder die weltweite Arbeitslosigkeit erarbeitet werden? Wer nicht bereit ist, die Vereinten Nationen zu stärken, wo er kann, darf sie nicht tadeln, wenn sie nicht können, was sie sollen.

Welche Position die Bundesrepublik Deutschland im Spannungsfeld Nord-Süd einnimmt, dürfte sich vor allem in der UNO und ihren Sonderorganisationen entscheiden. Dort zeigt sich, ob wir uns den Süden nur vom Leibe halten wollen oder ob wir mit konstruktiven Vorschlägen aufzuwarten haben, ob wir uns hinter dem Rücken des großen amerikanischen Bruders verstecken wollen oder ob wir zusammen mit europäischen Partnern innerhalb und außerhalb der Europäischen Gemeinschaft eine eigene Position zu beziehen wagen, ob wir uns in eine unfruchtbare Konfrontation mit den Ländern des Südens drängen lassen oder Wege der Kooperation weisen.

VII

Ob eine überzeugende Südpolitik gelingt, entscheidet sich auch in unserer Haltung gegenüber ausländischen Arbeitern. Wachsende Arbeitslosigkeit rund um das Mittelmeer wird den Druck auf die Europäische Gemeinschaft, besonders die Bundesrepublik, verstärken, auch in der Form illegaler Einwanderung. Verschärfung des Strafrechts wird nur vorübergehend helfen können, wenn die Zahl der jungen Menschen ständig wächst, die in ihrer Heimat keine Lebenschance haben. Auch hier könnten wir auf eine – von niemandem gewünschte – schiefe Ebene in Richtung auf den Polizeistaat geraten.

Integration von Gastarbeitern in großem Umfang wird weder von den Entsendeländern gewünscht noch von der Bundesrepublik verkraftet. Es kann nicht unser Ehrgeiz sein, die Werkstatt der Welt mit einem Städtegürtel von Münster bis München zu werden. Auf der anderen Seite sind Gastarbeiter kein Konjunkturpuffer, dessen Einzelteile man nach Belieben »rotieren« lassen könnte. Es kommt darauf an, Anreize für die Heimkehr zu schaffen.

Ausländische Arbeiter werden immer dann gerne in ihre Heimat zurückkehren, wenn sie dort einen Arbeitsplatz finden können, an dem sie in Deutschland gelernte Fertigkeiten nutzen können. Daher sollte ein Versuch weiterverfolgt und ausgebaut werden, der seit einigen Jahren mit dem Türken-Programm des Bundesministeriums für wirtschaftliche Zusammenarbeit gemacht wurde. Hier wird türkischen Arbeitern nach fünfjähriger Tätigkeit in der Bundesrepublik eine zusätzliche Ausbildung geboten, die mit einer Prüfung abgeschlossen werden kann. Ist der Arbeiter bereit, eigene Ersparnisse für einen Arbeitsplatz in der Türkei einzubringen, erhält er Kredite aus einem Fonds, der mit türkischen und deutschen Mitteln gespeist wird. Bislang wurden damit überwiegend handwerkliche Arbeitsplätze (Reparaturwerkstätten etc.) geschaffen. Es ist nicht einzusehen, warum nicht in größerem Umfang das in Deutschland gewonnene technische Können und die hier erworbenen Ersparnisse eingesetzt werden sollten zur Errichtung industrieller Arbeitsplätze. In ein solches Konzept ließe sich auch ein deutscher Zuschuß einbauen, der als Ausgleich für Nachteile beim Kindergeld akzeptiert würde. Hier läge eine Aufgabe für verschiedene Ressorts der Bundesregierung, aber auch für private und genossenschaftliche Initiativen.

VIII

Daß Entwicklungspolitik nicht der humanitäre Zuckerguß auf dem Kuchen nationalistischer Interessenpolitik sein kann, dürfte in jedem einzelnen Kapitel dieses Buches deutlich geworden sein. Wie schwierig es ist, Entwicklungspolitik zu einer Dimension der Gesamtpolitik zu machen, weiß niemand besser als der Autor. Trotzdem: Erst wenn Entwicklungspolitik eine Dimension unserer Rohstoff-, Energie-, Agrar-, Handels- und Strukturpolitik, ja sogar unserer Forschungspolitik und unserer Einkommenspolitik wird, kann Entwicklungshilfe mehr sein als ein Ablaßpfennig zur Beruhigung des eigenen mehr oder minder schlechten Gewissens.

Aber Entwicklungshilfe wird auch dann noch nötig sein. Die Vorstellung, jetzt seien die Ölländer an der Reihe, wir brauchten das bißchen Geld, das sie uns noch ließen, bei uns zu Hause, ist — wie jede Konzession an den nationalen Egoismus – populär. Aber sie hat bislang nur dazu geführt, daß wir den Ölländern eine billige Ausrede für eigene Zurückhaltung geliefert haben. Inzwischen kürzt auch der Schah, wenn seine Öleinnahmen nicht weiter steigen, seine Entwicklungshilfe mit dem Argument, Nächstenliebe beginne nun einmal zu Hause. Zu unserem Glück wird nie genau zu errechnen sein, wieviele Millionen Menschen allein in den zwei Jahren nach der Erhöhung der Ölpreise vor die Hunde gingen, weil Industrie- und Ölländer sich gegenseitig über ihre Verantwortung meinten belehren zu müssen.

Dabei gibt es mehr als einen Grund, Entwicklungshilfe nicht den Ölländern zu überlassen. Persien oder Algerien werden sich in den nächsten Jahren industrialisieren, wie Europa dies getan hat: mit derselben kapitalintensiven, arbeitsparenden Technologie, nur mit höheren Wachstumsraten. Länder, die weder über teure Rohstoffe noch über moderne technische Fertigkeiten, auch nicht über eine ausreichende Ernährungsgrundlage verfügen, werden diesen Weg nicht gehen können, sogar wenn sie es wollten. Daß es in diesen Ländern primär nicht um Raten wirtschaftlichen Wachstums, sondern um die Befriedigung der Grundbedürfnisse geht – auch wenn dies beides auf weiten Strekken parallel laufen kann –, war für die Bundesrepublik zu Beginn der siebziger Jahre ein so ungewohnter Gedanke, daß der obligate Ideologievorwurf nicht ausbleiben konnte. Heute hat sich diese Einsicht durchgesetzt. Ein Beispiel dafür ist die Cocoyoc-Erklärung, zumal deren Inspirator, Präsident Echeverria, bei seiner Amtseinführung 1970 noch ganz anderen Vorstellungen anhing. In der Erklärung heißt es: »Unser erstes Anliegen muß es sein, den Zweck von Entwicklung neu zu definieren. Es geht nicht darum, Dinge zu entwickeln, sondern Menschen. Menschliche Wesen haben Grundbedürfnisse: Nahrung, Behausung, Kleidung, Gesundheit, Erziehung. Jeder Wachstumsprozeß, der nicht zu ihrer Befriedigung führt oder gar, was schlimmer wäre, diese verhindert, ist ein Hohn auf den Gedanken der Entwicklung. Ein Wachstumsprozeß, der nur der wohlhabenden Minderheit dient oder die Disparitäten zwischen und innerhalb von Ländern aufrechterhält oder gar vergrößert, ist nicht Entwicklung. Er ist Ausbeutung.« Die Erklärung fährt fort:

»Wir meinen, dreißig Jahre Erfahrung haben bewiesen, daß die Hoffnung, rasches wirtschaftliches Wachstum, das wenigen zugute kommt, werde schließlich zu den Massen durchsickern, illusorisch ist. Wir weisen daher die Vorstellung zurück, erst komme das Wachstum, später eine gerechte Verteilung seiner Früchte. Wir lehnen das Konzept von Lücken in der Entwicklung ab. Das Ziel ist nicht, irgend jemanden einzuholen, sondern Lebensqualität für alle zu sichern durch eine Produktionsbasis, die auch auf die Bedürfnisse künftiger Generationen Rücksicht nimmt.«[102]

Die Ölländer werden soviel Kapital haben, daß sie es sich leisten können, anders zu verfahren; Afrika, Süd- und Südostasien und der größere Teil Lateinamerikas können es nicht. Daß der Schah von Persien sich bei Krupp einkauft und beide zusammen eine Investitionsgesellschaft mit Sitz in der Schweiz gründen, dürfte in der Vierten Welt nicht mit reiner Freude aufgenommen werden. Die geballte Macht europäischer Konzerne und orientalischer Ölgelder könnte manches Land vor die Wahl stellen, entweder die dort konzipierte oder gar keine Entwicklung zu bekommen und schließlich in Abhängigkeiten zu geraten, die denen der Kolonialzeit nicht unähnlich wären. Kein Wunder, daß die Cocoyoc-Erklärung warnt: »Hände weg. Laßt die Länder ihren eigenen Weg finden zu einem erfüllteren Leben ihrer Bürger.«[103] Dieser Weg wird in den meisten Fällen darin bestehen, millionenfach brachliegende Arbeitskraft für die landwirtschaftliche Produktion und die Herstellung einfacher Konsumgüter zu mobilisieren.[104]

Es liegt im Interesse der Entwicklungsländer, daß die alten und die neuen Reichen sich nicht gegenseitig ruinieren. Aber ein allzu fugenloser Interessenausgleich, eine Allianz zwischen beiden auf Kosten der übrigen Welt, könnte die Entwicklungsländer weltpolitisch vollends an den Rand, auch an den Rand der Überlebensfähigkeit, drängen.

Die deutsche Entwicklungshilfe hat sich früher als andere auf ein Konzept eingestellt, das heute die internationale Diskussion bestimmt und in der Cocoyoc-Erklärung seinen präzisesten Ausdruck findet. Dieses Konzept muß laufend an neue Erforder-

nisse angepaßt werden. Für den Rest dieses Jahrzehnts erscheint
wichtig:
– Steigerung der öffentlichen Entwicklungshilfe zumindest auf
den Durchschnittswert in der Europäischen Gemeinschaft;
– Konzentration auf Hilfe bei der Erarbeitung kapital- und ener-
giesparender Technologien und bei der Mobilisierung von Arbeitskraft, besonders in der Landwirtschaft;
– Kooperation mit Ölländern, soweit sie dem Entwicklungsland
volle Entscheidungsfreiheit läßt;
– verstärkte Europäisierung der Hilfe, Stärkung der multilateralen Institutionen;
– flexible Konditionen bei der Kapitalhilfe, die der wachsenden
Differenzierung zwischen Entwicklungsländern Rechnung
tragen können;
– volle Ausschöpfung des Spielraums, den bereits geltende rechtliche Regelungen (z. B. Generalvertrag zwischen der Bundesregierung und der Kreditanstalt für Wiederaufbau) für die direkte Wiederverwendung von Rückflüssen aus der Kapitalhilfe
bieten.

13. Kapitel:
Von der Machbarkeit des Notwendigen

I

Der zweite Teil dieses Buches handelt von dem Versuch, für einige wichtige Sachgebiete Kurskorrekturen zu skizzieren, die eine mittelfristige Krisenbewältigung zumindest erleichtern können: bei den Einkommen, der Vermögensbildung, den öffentlichen Haushalten, den Steuern, den Arbeitsplätzen, bei Rohstoffen, Energie und Nahrungsmitteln, im Gesundheits- und Erziehungswesen, schließlich in unseren Beziehungen zur übrigen Welt.

Daß dabei nicht mehr als eine Auswahl möglich und beabsichtigt sein konnte, muß wohl nicht ausführlich begründet werden. Allerdings ist die Auswahl nicht zufällig: die einzelnen Vorschläge sind aufeinander bezogen. Das Instrumentarium der indirekten Steuern kann nur sinnvoll eingesetzt werden, wenn die Einkommensunterschiede verringert werden können. Dasselbe gilt für eine Agrarpolitik, die sich an den Bedürfnissen des Weltmarkts orientiert, oder ein Erziehungssystem, das nicht vom Konkurrenzdruck der Gesellschaft erdrückt werden soll. Umgekehrt: Ohne eine Sanierung der öffentlichen Haushalte durch flexible indirekte Steuern verliert die Regierung auch noch den bescheidenen Handlungsspielraum, der noch verblieben ist. Ohne diesen Spielraum gibt es keine konstruktive Rohstoff- oder Energiepolitik, aber auch keinen neuen Anlauf im Bereich der Bildung. Und ohne eine Wendung in der Gesundheitspolitik gibt es zu wenig Spielraum für die Fiskalpolitik.

Daß nicht in jedem Einzelfall ausdrücklich auf Analysen, Maßstäbe und Grundwerte Bezug genommen wurde, die Gegenstand des ersten Teils waren, kann nicht so gedeutet werden, als wären diese Erwägungen vergessen worden. Das Gegenteil ist der Fall, wie sich leicht nachprüfen läßt.

Trotzdem sind die praktischen Vorschläge keineswegs revolutionär. Wer dagegen einwendet, sie blieben hinter dem Notwendigen zurück, hat gute Argumente für sich. Hier ging es nicht darum zu sagen, was wünschbar wäre, sondern zu zeigen, was schon jetzt angepackt werden kann, wenn wir es mit den Krisen unserer Zeit aufnehmen wollen. Insofern sind diese Vorschläge in der Methode pragmatisch.

Was hier vorgeschlagen wird, bedarf keiner Verfassungsänderung. Es läßt sich, wenn man will, innerhalb dessen verwirklichen, was man unser »System« zu nennen pflegt, auch wenn dabei die Elastizität des Systems auf die Probe gestellt wird.

Was über Einkommenspolitik, Haushalt oder Steuern gesagt wurde, verlangt weder die Einschränkung der Tarifhoheit noch ein neues Haushaltsrecht. Was zur Strukturpolitik verlangt wird, macht keine neuen bürokratischen Apparate nötig. Um das Gesundheitswesen aus seiner Sackgasse herauszuführen, muß man nicht die Krankenversicherung abschaffen. Will man die Agrarpolitik der Europäischen Gemeinschaft stärker an globalen Notwendigkeiten orientieren, so lassen sich dazu die – keineswegs unumstrittenen – Instrumente nutzen, die in den letzten zwei Jahrzehnten für die gemeinsame Agrarpolitik geschaffen wurden. Eine konstruktive Rohstoffpolitik verlangt nicht die Aufhebung der Gesetze des Marktes.

Aber dies alles verlangt einen zähen Willen zur Reform, der weit jenseits dessen angesiedelt sein muß, was von 1969 bis 1973 an naiver Reformbegeisterung und seit 1973 an verstockter Reformfeindlichkeit spürbar wurde. Daß die erste große Reformperiode in der Bundesrepublik zusammenfiel mit raschem wirtschaftlichem Wachstum, hat zu dem Mißverständnis beigetragen, Reformen bestünden im Verteilen der Früchte wirtschaftlichen Wachstums; daher könne man sich in schlechten Zeiten Reformen nicht leisten. Wir müssen begreifen, daß es genau umgekehrt ist: Zeiten raschen Wachstums kommen eher ohne Reformen aus als Zeiten, in denen Grenzen sichtbar werden. Ohne das Ventil beträchtlicher Zuwachsraten werden Veränderungen unausweichlich. Wo die Fortschreibung des Bestehenden keine Zukunft mehr ergibt, stehen wir unter Reformzwang. Wenn es ein Experiment gibt, das mit absoluter Sicherheit mißlingen wird, so ist es der Versuch, wieder nach dem Motto »Keine Experimente« zu handeln.

An Widerstand gegen Reformkonzepte wird es nicht fehlen. Abgesehen davon, daß einzelne Interessengruppen auf den Plan gerufen werden dürften, werden hier Machtpositionen tangiert, die anzutasten immer gefährlich ist. Auch wenn es in den Chefetagen unserer Großindustrie Einsichtige geben mag, die manches von dem hier Angeregten als unausweichlich hinzunehmen bereit wären, der Strukturkonservatismus wird sich herausgefordert fühlen, ganz einfach, weil hier Strukturen dem sachlich Notwendigen angepaßt und nicht von den Erfordernissen des ökonomischen Systems her die sachlichen Notwendigkeiten definiert werden.

Es wird auch nicht an dem Hinweis fehlen, in einer kapitalistischen Gesellschaft hätten die staatlichen Organe nicht den ausreichenden Handlungsspielraum um auch nur ein vergleichsweise bescheidenes Konzept mittelfristiger Krisenbewältigung durchzusetzen. Es soll nicht bestritten werden, daß gerade die letzten Jahre bewiesen haben, wie eng der Reformspielraum in unserer Gesellschaft ist. Es gibt Vorgänge – etwa im Zusammenhang mit der Reform der Berufsbildung – die man, hätten sie nicht tatsächlich stattgefunden, der krankhaften Phantasie verklemmter Stamokapanhänger hätte zuschreiben wollen. Wer selbst sechs Jahre lang immer von neuem die Grenzen des Handlungsspielraums einer parlamentarisch-demokratischen Regierung zu ertasten versucht hat, dürfte gegen übertriebene Hoffnungen gefeit sein.

Nur: Wer die Reformunfähigkeit unserer Gesellschaft aus der These ableitet, der Staat sei nun einmal nicht mehr als der Agent des Monopolkapitals, läßt nur die Alternative zwischen Revolution und Resignation. Und da Revolution in dieser Gesellschaft unmöglich, Resignation aber bequem und billig zu haben ist, bleibt es schließlich bei der Resignation.

Es ist nicht wahr, daß in der ersten Hälfte der siebziger Jahre nur Reformen stattgefunden hätten, die »das Monopolkapital«, weil in seinem Interesse liegend, gewünscht oder hingenommen hätte. Das Betriebsverfassungsgesetz hat zum Beispiel Machtverschiebungen gebracht, und die Mitbestimmung zielt noch sehr viel eindeutiger darauf ab. Und es sind auch anderswo Privilegien abgebaut worden. Richtig ist, daß die erste Welle der Reformen auszulaufen beginnt. Dies liegt zweifellos an dem erbitterten Widerstand und an der ungebrochenen Macht derer, die ihre Machtposition bedroht sahen. Es liegt aber auch daran, daß die Reformer den Klimawechsel nicht einkalkuliert haben – und wohl auch nicht einkalkulieren konnten –, den die Zäsur der Jahre 1973 und 1974 mit sich gebracht hat. Manches in dieser ersten Reformperiode war wohl auch zu sehr quantitativ angelegt: mehr Krankenhäuser, größere Universitäten, höhere Sozialleistungen. Nachdem wir überall auf quantitative Grenzen stoßen, werden Reformen mehr im Qualitativen zu suchen sein. Und die Reformer werden sich mehr als zu Beginn der sechziger Jahre mit den Strukturkonservativen herumzuschlagen haben, die eine weltgeschichtliche Zäsur zu einer innenpolitischen Tendenzwende schrumpfen lassen wollen, aus der sie dann eine Rückkehr zu den Rezepten und ideologischen Alternativen der fünfziger Jahre herleiten wollen, eine Rückkehr übrigens, die kein anderes Volk in Europa in dieser Weise versucht und die uns daher rasch in die Isolierung treiben könnte.

II

Der Schah von Persien, der sich die liberale Kritik an seinem Regierungssystem lange genug hat gefallen lassen müssen, stellt nun fest, die Länder des Westens würden überhaupt nicht regiert. In einem hat er recht: Es ist keineswegs sicher, ob die staatlichen Organe einer demokratisch verfaßten Gesellschaft in der Lage sein werden, das Notwendige rechtzeitig machbar zu machen. Es ist keineswegs auszuschließen, daß diese Gesellschaften mit den Aufgaben der nächsten Jahrzehnte nicht fertig werden.

Da hilft auch nicht der Ruf nach dem »starken Staat«. Worin soll die Stärke bestehen? In einer starken Bürokratie? Diese ist möglicherweise schon zu stark, setzt eigene Interessen durch und wird zunehmend zu einem eigenen Machtfaktor. Im übrigen: Wer die Fäden kennt, die zwangsläufig zwischen Bürokratie und Interessengruppen spielen, wird von einer stärkeren Bürokratie nicht schon die Durchsetzung des Allgemeininteresses erwarten.

Soll die Stärke des Staates in einer autoritären Führung bestehen? Alle Erfahrung beweist, daß autoritäre Regime nicht weniger, sondern einseitiger interessenabhängig sind. Sie schaffen sich nur die Mittel, es besser zu verbergen. Es gibt nicht den leisesten Anlaß zu der Hoffnung, die Rückkehr zu autoritären Regierungsformen könne humanes Überleben erleichtern.

Bedeutet ein starker Staat härtere Gesetzgebung? Sie mag wohl an einigen Punkten nötig sein, etwa wo die Gesundheit der Menschen geschützt und der Vergeudung von Ressourcen gesteuert werden soll. Nur: Wie unsere Gesetze aussehen, entscheidet sich meist in der öffentlichen Diskussion darüber, also im Kräftefeld der Gesellschaft. Die Versuchung autoritärer Staatsideologien nimmt sicherlich zu. Während Wolfgang Harich in einem kommunistischen Staat nach dem Muster von Babeuf Askese mit Gewalt erzwingen will,[105] sucht Herbert Gruhl Zuflucht bei Ernst Forsthoff, dessen Staatsideologie der Freiheit des Bürgers weniger zutraut als seiner Gehorsamsbereitschaft.[106] Trotzdem: Es bleibt uns nichts anderes übrig, als mehr Demokratie zu wagen. So richtig es sein mag, daß nicht alles, was aus der Initiative von Bürgern entsteht, notwendig vernünftiger sein müßte als die Planungen von Technokraten, so wenig sich ausschließen läßt, daß auch massive Einzelinteressen sich moderner Formen demokratischer Willensbildung bedienen, so gibt es doch keine Alternative zur Mobilisierung des Allgemeininteresses.

Gerade in einer Epoche, in der die Demokratie überfordert scheint, in der die Flucht in autoritäre Ordnungssysteme sich als plausible Lösung anbietet, bleibt das Fazit Christian von Krokkows richtig: »Diszipliniertes, zukunftsbezogenes und selbstverantwortliches Handeln läßt sich ... nur dort erwarten, wo im Horizont einer offenen Gesellschaft und politischer Freiheit den Bürgern Verantwortung und Freiheit auch zugestanden und zugemutet werden.«[107] Man wende nicht ein, hier sei ein allzu optimistisches Menschenbild im Spiel. Hier geht es nur um die Einsicht, daß auch und gerade autoritäre Herrschaftseliten sich mehr auf die Zukunft ihrer Herrschaft als auf die Zukunft der Menschheit zu konzentrieren pflegen. Wie immer man die Chancen humanen Überlebens einschätzen mag: Wo Demokratie demontiert wird, werden sie geringer, wo Demokratie lebendiger, dichter, spannender wird, werden sie größer.

III

Es gibt Millionen von Menschen in der Bundesrepublik, die sich über die Struktur von Verwaltung und öffentlichem Dienst ärgern. Sollte es unmöglich sein, diesem Ärger eine positive, auch vielen öffentlich Bediensteten willkommene Richtung zu geben? Es gibt Millionen von Menschen, die ihre Hilflosigkeit gegenüber der Maschinerie unseres Gesundheitswesens beklagen. Manche finden sich bereits zusammen in Patientenschutzvereinen. Sollte es unmöglich sein, aus diesem Unwillen einen Willen zu formen, der es auch mit so mächtigen Interessen wie denen der pharmazeutischen Industrie aufnehmen kann? Es gibt genügend Menschen, die es schwer erträglich finden, daß sie – auf dem

Umweg über tierisches Eiweiß – das Fünf- oder Sechsfache dessen verzehren, was einem Menschen in Asien das Überleben ermöglichen kann. Es muß möglich sein, dieses schlechte Gewissen in agrarpolitische Willensbildung umzusetzen. Es gibt unzählige Menschen, die das Gefühl haben, ihr Lebensstil entspreche nicht mehr den Notwendigkeiten unserer Zeit. Jetzt beginnen sie sich zu sammeln und zu Wort zu melden.

Es gibt heute schon Bürgerinitiativen, die sich überörtlich und überregional organisieren. Es gibt auch solche, die sich nicht mit dem Kampf *gegen* etwas, *gegen* Atomkraftwerke oder *gegen* die Anlage neuer Flugplätze, begnügen. Was wir brauchen, sind überregionale, bundesweite Zusammenschlüsse, die ein begrenztes, aber klar umrissenes und positiv formulierbares Ziel verfolgen. Wir brauchen Bürgerinitiativen, die sich auf einem begrenzten Feld vornehmen, das im Allgemeininteresse Notwendige machbar zu machen.

Wer dies will, muß zum einen das Selbstbewußtsein des Bürgers gegenüber den Apparaten der Verwaltung und der Interessenverbände stärken. Wer in den letzten Jahren verfolgt hat, in welchem Tempo sogenannte Experten ihre Meinungen und Maßstäbe ändern, kann die Forderung von Klaus Müller verstehen, man müsse das Expertentum aller Laien proklamieren. Nur wenig von dem, was uns Experten der Stadtplanung vor Jahren eingeredet haben, wird heute von ihnen selbst noch ernsthaft verteidigt. Wer Experten der Verkehrsplanung mit Nicht-Experten diskutieren hört, wird sich gelegentlich fragen, ob die ausschließliche Beschäftigung mit einer Materie nicht auch zu Betriebsblindheit führen kann.

Zum andern ist es notwendig, daß sich bei derartigen Bürgerinitiativen auch solche Bürger engagieren, deren Name nicht nur für die Seriosität des Unterfangens bürgt, sondern es auch den Massenmedien schwer macht, die Fragestellungen und Forderungen solcher Initiativen zu ignorieren.

Bürgerinitiativen bedürfen ausgefeilter Methoden der Öffentlichkeitsarbeit, wenn Mehrheiten oder doch nicht mehr ignorierbare Minderheiten wachgerüttelt werden sollen. Aktionen, Bilder und Symbole sind dabei nicht weniger wichtig als Programme, Reden und Diskussionen. Gerade in den letzten Jahren sind auf diesem Gebiet Erkenntnisse gesammelt und Verfahrungsweisen erarbeitet worden, die es zu nützen gilt.

Schließlich haben solche Initiativen nur dann eine Chance, wenn sie mit den Großgruppen unserer Gesellschaft rückgekoppelt sind. Wer z. B. für das Gesundheitswesen etwas erreichen will, wird ohne aktive Gewerkschaftler oder engagierte Glieder der großen Kirchen nicht weit kommen. Und er muß auch versuchen, Mitglieder der großen Parteien zu gewinnen, die in ihre Parteien hineinwirken, aber auch mit ihrer politischen Erfahrung verhindern können, daß sich eine Aktion durch Übertreibungen oder Ungeschicklichkeiten diskreditiert.

Natürlich kann es nicht darum gehen, Parteien und Parlamente aus ihrer Verantwortung zu entlassen oder gar herauszudrängen. Aber die Parteien, Parlamente oder Regierungen, die aus eigener Intuition Gesellschaft formen, gibt es wohl nur im staatsbürgerkundlichen Bilderbuch. Sicher gehen von der Meinungsbildung in den Parteien Willensströme in die Gesellschaft aus. Aber noch wichtiger ist der umgekehrte Vorgang: Die Parteien sind auch Resonanzböden für die Schwingungen, die in der Gesellschaft entstehen, wobei je nach Schwingungszahl der eine oder andere Resonanzboden zum Klingen kommt. Parteien geben nicht nur Impulse, sie brauchen sie auch. Dies gilt vor allem dann, wenn zwei große politische Lager um wenige Stimmenprozente kämpfen und deshalb dazu neigen, nur Themen aufzugreifen, die bereits mehrheitsfähig sind. Wer sorgt dafür, daß sie mehrheitsfähig werden?

Parteien haben gesellschaftliche Bedürfnisse in staatliches Handeln zu übersetzen, insofern sind sie Transmissionsriemen. Lange Zeit waren sie sogar ausreichende. Der Zeitdruck einer Übergangsepoche verlangt zusätzliche Transmissionsriemen zwischen Gesellschaft und Parteien, weil sonst im unvermeidlichen taktischen Spiel um die Macht die entscheidenden Probleme so lange umgangen und kaschiert werden, bis sie uns endgültig über den Kopf gewachsen sind.

Die Willensbildung in Parteien und Parlamenten soll nicht ersetzt, sie soll ergänzt, belebt, vorangetrieben und beschleunigt werden.

IV

Wir tun gut daran, von Interessenverbänden nicht sehr viel mehr zu erwarten, als daß sie die Interessen ihrer Mitglieder vertreten. Dies gilt um so mehr, je kleiner die Gruppe ist. Was die Fluglotsen versucht haben, würde sich eine große Gewerkschaft dreimal überlegen.

Soll ein Konzept mittelfristiger Krisenbewältigung Chancen haben, so muß es wenigstens im Grundsatz von den Gewerkschaften mitgetragen werden. Dies ist zumindest nicht unmöglich. Wer verfolgt hat, was etwa die IG Textil in dem schmerzhaften Prozeß der Umstrukturierung und Schrumpfung unserer Textilindustrie geleistet hat, wer sich an die Einberufung des Kongresses von Oberhausen durch Otto Brenner erinnert, wird hier vorschnellem Pessimismus widersprechen, zumal wenn er selbst die Erfahrung gemacht hat, daß Gewerkschaftler sehr wohl auch über Themen zu sprechen bereit sind, die manche ihnen nicht zuzumuten wagen. Vielleicht sind viele unserer Arbeitnehmer schon weiter, als die Politiker es ihnen zutrauen.

Die Gewerkschaften haben sich nie als reine Lohnmaschine verstanden, sie werden es in Zukunft noch weniger sein können als je zuvor. Sogar wenn sie es nicht wollten, sie würden gezwungen, die Interessen ihrer Mitglieder um so mehr in der politischen Diskussion zu vertreten, je weniger sie es am Verhandlungstisch tun können. Und selbst am Verhandlungstisch wird zunehmend über Fragen gesprochen, die mit Lohntarifen nur sehr indirekt zu tun haben.

Völlig unverzichtbar ist die Mitarbeit der Gewerkschaften, wo es um die Einkommenspolitik geht. Die Zeiten, in denen die Gewerkschaften ihre Aufgabe darin sehen mußten, dem Arbeitnehmer den maximalen Anteil eines rasch größer werdenden Kuchens zu sichern, gehen zu Ende. Die Gewerkschaften werden wohl nicht umhinkommen, jetzt auch über die Relation der Einkommen zueinander nachzudenken, nicht nur, aber auch im Bereich der abhängig Beschäftigten. Dabei geht es schlicht um die Frage, ob in einer Zeit rascher Preissteigerungen und geringen – falls vorhandenen – Konsumwachstums Löhne und Gehälter weiterhin nur linear angehoben werden können.

Die Diskussion darüber ist in den Gewerkschaften im Gang. Ihr Ergebnis wird auch dadurch bestimmt sein, was die Gewerkschaften außerhalb der Lohnpolitik für ihre Mitglieder durchsetzen können: im Bereich von Gesundheit und Bildung, aber auch von Mitwirkung und Mitbestimmung. Wenn abzusehen ist, daß das Konzept einer individuellen Vermögensbildung in Zukunft noch schwieriger realisierbar sein wird als bisher, wird die Frage nach der Stellung des Arbeitnehmers im Betrieb an Gewicht zunehmen. So wenig Lohnpolitik, Vermögenspolitik und Mitbestimmung von der Sache her austauschbar sind, psychologisch haben sie sehr wohl miteinander zu tun. So wenig man Vermögensbildung durch Lohnpolitik oder gar, wie manche Struktur-konservativen empfehlen, Mitbestimmung durch Vermögensbildung ersetzen kann, so sicher muß sich gewerkschaftliche Aktivität den innerbetrieblichen und überbetrieblichen Machtstrukturen zuwenden, wenn sowohl die Lohnpolitik als auch die Vermögenspolitik unergiebig werden. Wenn der Arbeitnehmer weniger durch stagnierendes Realeinkommen als durch die Angst um den Arbeitsplatz beunruhigt wird, müssen die Gewerkschaften eine aktive, vorausschauende Strukturpolitik nicht nur fordern, sondern auch darauf Einfluß nehmen, wohl wissend, daß dies für sie nicht nur Vorteile bringt.

Es ist keineswegs ausgemacht, daß die Kräfte, die heute unter dem Stichwort »Mittelstand« das Handwerk, das Dienstleistungsgewerbe und die Kleinindustrie vertreten, einem Konzept der mittelfristigen Krisenbewältigung nur ablehnend gegenüberstehen müßten. Man hat in diesen Gruppen inzwischen verstanden, daß Globalsteuerung, die keine Strukturpolitik sein will, für sie sehr wohl Strukturpolitik ist, und zwar eine lebensgefährliche. Die Hochzinspolitik der Bundesbank wird multinationale Konzerne wenig irritieren, sie können sich auch außerhalb der nationalen Grenzen finanzieren, der Schreinermeister oder der kleine Schraubenfabrikant nicht.

Es ist schließlich auch unwichtig, warum jemand gegen das Einkaufszentrum auf der grünen Wiese aufmuckt, ob zum Schutz des »Mittelstandes« oder weil er nicht zusehen will, wie unsere Innenstädte veröden und unsere Landschaft zubetoniert wird. Es kann den Vertretern des Handwerks auch gleichgültig sein, aus welchem Grund ein handwerkliches Gegengewicht zur Massenproduktion verlangt wird, Hauptsache, das Handwerk behält seine Chance.

Die Kirchen wären auch dann ein politischer Faktor, wenn sie beschließen wollten, keiner mehr zu sein. Schließlich bestehen sie nicht nur aus einigen Bischöfen, sondern aus Millionen von Bürgern, die auch in anderen Bereichen unserer Gesellschaft tätig sind, Wertungen und Vorstellungen aus ihrer Kirche in die Gesellschaft einbringen.

Die Kirchen sind wohl am tiefsten von jenem Wertkonservatismus geprägt, der in diesem Buch dem Strukturkonservatismus gegenübergestellt wurde. Natürlich gibt es auch Kräfte in den Kirchen, denen es primär um die Erhaltung von Strukturen, etwa denen der Volkskirche geht. Natürlich gibt es auch Repräsentanten von Kirchen, die mit einem strukturkonservativen Atheisten leichter zu Rande kommen als mit einem Katholiken oder Protestanten, den sie für »links« halten. Aber die Grundstimmung der Kirchen ist nicht struktur-, sondern wertkonservativ. Es ist daher kein Zufall, daß gerade die Studentengemeinden bei der Studentenrevolte in der vordersten Front standen, daß die Bemühungen um Kriterien von Lebensqualität auch die Theologie erfaßt haben, daß die Kirchen sich besonders des Umweltschutzes annehmen. Schließlich gehört zu diesem Wertkonservatismus auch die Unterstützung, die Willy Brandts Ostpolitik aus den Kirchen erfuhr.

Was heute viele Gruppen in den Kirchen lähmt, ist der Abstand zwischen Problembewußtsein und Aktionsmöglichkeit. Viele wissen sehr wohl, daß das, was sie tun oder auch unterlassen, in einem schwer erträglichen Mißverhältnis zu dem steht, was eigentlich zu tun wäre. Aber wo sind die Ansatzpunkte zu sinnvollem Tun? Nirgendwo gibt es mehr Zustimmung für den Satz Kurt Biedenkopfs: »Unser Wohlstand kann sich seiner Rechtfertigung vor dem Elend anderer nicht länger durch räumliche Distanz entziehen.«[108] Aber die Christen wollen wissen, was dies praktisch bedeuten soll. Der ethisch motivierte Protest verpufft ebenso wie die karitative Einzelaktion. Gerade in den Kirchen gibt es ein beträchtliches Potential von Menschen, die bereit wären, mitzuhelfen, dem Notwendigen zum Durchbruch zu verhelfen, vorausgesetzt, es kann ihnen einsichtig gemacht werden, was notwendig ist und wie es durchgesetzt werden kann.

Dasselbe gilt wohl auch für große Teile der jungen Generation. Sicher gibt es da heute mehr reaktionäres Gehabe als zu Beginn der siebziger Jahre. Aber die Mehrheit der jungen Menschen will nicht einfach zurück in eine Vergangenheit – die sie ja auch nicht kennt –, sie will jedoch auch nicht mit abstrakten Systemdiskussionen traktiert werden. Sie hat sich emanzipiert, schließlich auch von manchem überdrehten Emanzipationsgerede. Im Grunde haben sich die Fragen der Jungen nicht geändert. Sie wollen nach wie vor wissen, ob wir eine für sie erstrebenswerte Zukunft vorbereiten oder uns unter Berufung auf Systemzwänge um die Frage drücken, »wie eine kommende Generation weiterleben soll«. Sie wollen wissen, ob wir nach dem Motto »Nach uns die Sintflut« Wahlen gewinnen oder ob wir Ernst machen wollen mit der Einsicht, daß nach uns nicht die Sintflut, sondern die nächste Generation kommt. Die Jungen mögen heute wertkonservativer sein als vor ein paar Jahren, strukturkonservativer sind sie nicht. Wo einleuchtende und erreichbare Ziele sichtbar werden, sind viele nach wie vor zum Engagement bereit.

V

Man mag bestreiten, daß unsere Parteienstruktur noch ganz den Aufgaben entspricht, vor denen wir stehen. Wenn heute die beiden großen Parteien neu gegründet würden, verliefen die Grenzlinien sicher anders, als sie tatsächlich verlaufen. Aber dies bedeutet nicht, daß sich unser Parteiensystem neu ordnen müßte. Wahrscheinlich sind der Zwang zur Selbstbehauptung und der gemeinsame Kampf um die Macht ausreichende Bindemittel für den Zusammenhalt der großen Parteien, auch wenn sehr verschiedene Grundhaltungen in ihnen wirksam sind. Dabei dürfte die innerparteiliche Diskussion an Interesse gewinnen.

Es fragt sich, ob die herkömmlichen Formen der Parteienkonkurrenz noch eine Politik gestatten, die diesen Namen verdient. Nichts ist einfacher, nichts aber auch halsbrecherischer, als in dieser Zeit Angst und Vorurteile hochzupeitschen. Sollte sich die jeweilige Opposition damit begnügen, alle Krisenerscheinungen unserer Zeit der jeweiligen Regierung anzulasten, so entsteht ein Klima, in dem ein Durchbruch nach vorn nicht mehr möglich ist. Eine solche Taktik kann sogar in wenigen Jahren zu einer Krise der parlamentarischen Demokratie führen. Sollte sich eine Mehrheit in unserem Volk einreden lassen, man müsse nur zu den Rezepten von gestern zurückkehren, dann lasse sich auch die Sicherheit von gestern wieder erreichen – wobei, wie immer, die Vergangenheit in verklärendem Licht erscheint –, dann wird diese Mehrheit in dem Augenblick vollends verführbar, wo sie feststellen muß, daß keine demokratische Partei dies jemals schaffen kann. Und dieser Augenblick wird sehr rasch kommen.

Kein Wunder, daß die Große Koalition wieder ins Gespräch kommt. Sie wäre kein Ausweg, denn sie verlangt soviel Rücksichtnahme auf soviele disparate Kräfte, daß das Notwendige nicht leichter, sondern eher schwieriger durchzusetzen wäre, ganz abgesehen davon, daß dann sofort extremistische Kräfte auf der politischen Bühne auftauchen und den Handlungsspielraum der Demokraten weiter einengen müßten.

Unerläßlich ist der Versuch, Inhalt und Form der Parteienkonkurrenz zu modifizieren. Solange um Macht gekämpft wird, wird dies um einen hohen Preis, aber es darf nicht um jeden Preis

:hen. Denn sonst könnte dem Sieger eine Macht in die
de fallen, an der er selbst, vor allem, wenn er Demokrat
.ben will, zugrunde geht. Die Parteien müssen sich dazu
durchringen oder von der öffentlichen Meinung dazu gezwungen werden, in Programm und Praxis den Wettbewerb um eine
realistische Krisenbewältigung aufzunehmen. Sie müssen es sich
gegenseitig wenigstens gestatten, die Wahrheit zu sagen, ohne
daß zum Lynchen des Boten der Wahrheit aufgefordert wird.
Solange Demokraten um Macht kämpfen, wird Demagogie nicht
auszurotten sein. Aber nach der Zäsur der frühen siebziger Jahre
dürfte die parlamentarische Demokratie nicht mehr soviel Demagogie aushalten wie vorher. Zu dem Geflecht der Krisen, mit
denen wir uns abplagen, könnte, wenn wir nicht aufpassen, noch
die Krise der zweiten deutschen Demokratie kommen.

Daß diese Gefahr näher liegt, als uns lieb ist, zeigt der Bundestagswahlkampf 1976. Eben weil die Parteien den Wettbewerb um
Konzepte einer mittelfristigen Krisenbewältigung scheuen, eben
weil sie nicht die Sanierung unseres Gesundheitswesens, nicht
die Reform des öffentlichen Dienstes, nicht die Umwandlung in
die Dienstleistungsgesellschaft und schon gar nicht unser Verhältnis zu den armen Völkern zum Thema des Wahlkampfes zu
machen wagten, drangen in das Vakuum der Sachkonflikte pseudo-ideologische Parolen ein, die den Grundpakt (Walter Dirks)
zerstören müssen, auf dem der Staat des Grundgesetzes ruht.
Weil wir uns vor den Konflikten der Zukunft drücken, suchen
uns die Gespenster der Vergangenheit heim.

VI

Was auch immer innerhalb und zwischen den Parteien vor sich
gehen mag, eine konstruktive Politik nach der Zäsur unserer
Tage ist nur noch durchzusetzen von einem Bündnis zwischen
denen, die nicht aufhören wollen, progressiv zu sein, auch wenn
dies heute schwieriger ist als vorher, und den Wertkonservativen,
die, weil sie humanes Überleben gefährdet sehen, auf Veränderung drängen.

Beide sind sich näher, als sie es wissen oder zugeben, und
mancher wird sich, wie der Autor, fragen, welche Komponente
in ihm überwiege, ob nicht Progressivität immer ein Stück Wertkonservatismus enthalten müsse.

Die Zäsur, von der in diesem Buch die Rede ist, kann nach Carl

Friedrich von Weizsäcker »nicht die Rückkehr zu einer unwide.
ruflich versunkenen Vergangenheit« bedeuten. Im Gegenteil: Si
verlangt »eine weniger oberflächliche und insofern radikalere
Form des Fortschritts«.

1 Mesarović/Pestel, Menschheit am Wendepunkt, Stuttgart 1974.

2 Zitiert nach: ›Das Parlament‹ vom 27. 7. 1974, S. 3.

3 Typisches Beispiel dafür ein Interview von Hermann Kahn im ›Spiegel‹, Nr. 7, 1975. Aber auch Kahn rechnet mit hohen Nahrungsmittelpreisen für die kommenden Jahre.

4 Gordon Rattray Taylor, Zukunftsbewältigung, Hamburg 1976, S. 132.

5 Siehe James O'Connor, The fiscal Crisis of the State, 1973, deutsch Frankfurt 1974.

6 Ivan Illich, The Medical Nemesis, London 1975, S. 35.

7 Siehe O'Connor, a.a.O., S. 236.

8 Zitiert nach: ›Le Monde‹ vom 2. 4. 1971.

9 Galbraith, Wirtschaft für Staat und Gesellschaft, S. 47 f.

10 Auch Kurt Biedenkopf stellt fest, daß es im Gegensatz zur bisherigen Praxis in Zukunft nicht mehr möglich sein werde, die innergesellschaftlichen und weltweiten sozialen Konflikte durch stetiges wirtschaftliches Wachstum der Industriestaaten zu lösen (Fortschritt in Freiheit, S. 53).

11 1973 lag die Steuerquote in Frankreich bei 23,9 Prozent, in den USA bei 24,9, in den Niederlanden bei 28,3, in Großbritannien bei 32,7, in Norwegen bei 33,5, in Schweden bei 33,8, in Dänemark bei 38,6. Die Schweiz lag bei 18,7, Italien bei 19,9.

12 Siehe O'Connor, a.a.O., S. 218.

13 F. J. Strauß in seiner Sonthofener Rede: »Man kann immer nur einer Krankheit zu Leibe rücken, und jedes Rezept, das der einen Krankheit zu Leibe rückt, vermehrt das Übel auf der anderen Seite.« (›Frankfurter Rundschau‹ vom 12. 3. 1975)

14 Eberhard Jüngel in seinem Vortrag vor dem Evangelischen Arbeitskreis der CDU/CSU, gehalten in Mainz Anfang Dezember 1974.

15 Interview im ›Spiegel‹, Nr. 7, 1975, S. 121.

16 Jochen Steffen, Krisenmanagement oder Politik, Hamburg 1974, S. 23.

17 Siehe Günter Brakelmann, Humanisierung der Arbeit. Vortrag auf dem 16. Evang. Kirchentag 1975.

18 E. F. Schumacher, Jenseits des Wachstums, München 1974, S. 36.

19 Jochen Steffen, a.a.O., S. 9.

20 Carl Amery, Progressismus und Konservatismus, in ›Vorgänge‹, Nr. 4/1973, S. 30.

21 Klaus Müller, Die präparierte Zeit, Stuttgart 1972, S. 601.

22 Alvin Toffler, Der Zukunftsschock, 1970, S. 320.

23 Jochen Steffen, a.a.O., S. 56.

24 Siehe Erhard Eppler, Maßstäbe für eine humane Gesellschaft: Lebensstandard oder Lebensqualität, Urban-Taschenbücher Reihe 80, Stuttgart 1974.

25 Siehe Beschluß des Verwaltungsgerichts Freiburg vom 14. 3. 1975 zum Kernkraftwerk Wyhl.

26 Den besten und verständlichsten Überblick über den Themenkreis »Lebensqualität« gibt immer noch eine Arbeit des sozialwissenschaftlichen Instituts der EKD (Engelhardt/Wenke/Westmüller und Zilessen), Lebensqualität, Zur inhaltlichen Bestimmung einer aktuellen politischen Forderung, Wuppertal 1973.

27 Siehe Erhard Eppler, Wenig Zeit für die Dritte Welt, 5. Aufl. Stuttgart 1972, S. 24 ff.

28 Zuerst zusammengefaßt in: Re-tooling Society, Cuernavaca 1972.

29 Siehe dazu auch Ernst Wolfgang Böckenförde, Qualität des Lebens – Aufgabe und Verantwortung des Staates? Köln 1974.

30 Siehe die Referate von Zapf, Betz und Hamer zum Thema ›Messung der Lebensqualität und amtliche Statistik‹ vom 16. 5. 1974. Sonderdruck des Statistischen Bundesamts Wiesbaden.

31 Die Studie von Jürgen Kumm, Wirtschaftswachstum, Umweltschutz, Lebensqualität, Stuttgart 1975, arbeitet mit einem quantifizierten Indikator »Lebensqualität«, der allerdings nur ein optimales Verhältnis von Wirtschaftswachstum und Umweltqualität anzeigt.

32 Alvin Toffler, a. a. O., S. 326.

33 Siehe auch Becker/Belitz/Sohn/Wörmann, Theologisch-sozialethische Überlegungen zur Qualität des Lebens, in ›Die Mitarbeit‹, Jahrgang 23, Heft 2.

34 Biedenkopf, a. a. O., S. 123.

35 Am gründlichsten dargestellt in Shlomo Na'aman, Lassalle, Hannover 1970, vor allem S. 534 ff.

36 Siehe vor allem Friedrich Naumann, Freiheitskämpfe, Berlin 1911.

37 Leszek Kolakowski spricht in der ›Zeit‹ vom 13. 3. 1971 von der »einfachen Wahrheit, ... daß die Gewalt Gewalt erzeugt und keine Freiheit, daß der Terror Terror ist und kein Weg zur Gerechtigkeit, kurz, daß die Mittel notwendigerweise den Sinn der Zwecke bestimmen«.

38 Siehe auch Gerhard Weisser, Solidarität, in ›Die Mitarbeit‹, S. 193 ff.

39 Max Weber, Gesammelte politische Schriften, S. 546.

40 Ebenda, S. 539 u. S. 546.

41 Ebenda, S. 544.

42 Galbraith, a. a. O., S. 304 ff.

43 Galbraith, a. a. O., S. 303 f.

44 O'Connor, a. a. O., S. 48.

45 Die Zahl der öffentlich Bediensteten (ohne Bahn, Post, Bundeswehr, Grenzschutz, Sozialversicherung) stieg in der Bundesrepublik von 1,6 Millionen (1961) auf 2,3 Millionen (1973).

46 Vorschlag einer sechsten Richtlinie des Rates zur Harmonisierung der Rechtsvorschriften der Mitgliedsstaaten über die Umsatzsteuern. Bundestagsdrucksache 7/913, S. 9.

47 Das ist etwa das Fünfzehnfache der öffentlichen Ausgaben für Entwicklungshilfe.

48 Siehe Jürgen B. Donges/Gerhard Fels/Axel B. Neu u. a., Protektion und Branchenstruktur der westdeutschen Wirtschaft, Kieler Studien 123, Tübingen 1973, vor allem S. 242 ff.

49 Davon in der Textilindustrie 344 000, in der Bekleidungsindustrie 279 000.

50 Davon in der Textilindustrie 513 000, in der Bekleidungsindustrie 378 000.

51 Daß die Wissenschaft diese Frage beantworten kann, zeigt die zitierte Studie von Jürgen Donges u. a.

52 Heinz Rapp, Regionale und sektorale Strukturpolitik, Vortrag im November 1974.

53 Thomas von der Vring, Demokratische Wirtschaftslenkung, Vortrag im Herbst 1974.

54 Zweiter Entwurf eines ökonomisch-politischen Orientierungsrahmens, Ziffer 2.6.1.

55 Ebenda, Ziffer 2.6.5.

56 Ebenda, Ziffer 4.1.4.

57 Horst Kern, Überleben wir den technischen Fortschritt? Freiburg 1973, S. 30.

58 Von der Vring, a.a.O., S. 7f.

59 Siehe auch die Vorträge auf der IG-Metall-Tagung vom 17. bis 19. Mai 1976 in Köln, besonders das Referat von Dr. Rudolf Meidner, Stockholm, über ›Konzeption und Wirkung der aktiven Arbeitsmarktpolitik‹.

60 Klaus Billerbeck, Alternativen der künftigen Gestaltung des internationalen Handels mit Rohstoffen, Berlin 1974.

61 Development Dialogue, Nr. 2, 1974, S. 88f.

62 Georg Picht, Vortrag in New York, zitiert in der ›Frankfurter Rundschau‹ vom 3. 7. 1974.

63 Denkschrift, vom 7. 5. 1974, S. 31.

64 H. W. Singer, in ›Evangelische Kommentare‹ 16, 1974, S. 609.

65 Lester Brown, By Bread Alone, New York 1974, S. 39.

66 Otto Matzke, Der Hunger wartet nicht, Bonn 1974, S. 63.

67 Ebenda, S. 64.

68 Ebenda, S. 64.

69 Der Wirkungsgrad fossil beheizter Kraftwerke liegt bei 40%, der Wirkungsgrad von konventionellen Kernkraftwerken bei 32–34%. Siehe die Studie des Kernforschungszentrums Karlsruhe ›Energie und Umwelt in Baden-Württemberg‹, April 1974, S. 19.

70 In der ›Zeit‹ Nr. 27/28/29, 1975.

71 Bundestagsdrucksache 7/4948.

72 In einem Bericht über »Orientierungen« der EG-Kommission rechnet die ›Zeitung für kommunale Wirtschaft‹ damit, daß zu Beginn der 80er Jahre die Zuwachsrate an Stromverbrauch u.a. »infolge starker Verbrauchsförderung« auf 8% jährlich steige. Dies werde sich »vor allem aus der vermehrten Verwendung der Elektrizität zu Heizungszwecken« ergeben.

73 ›Süddeutsche Zeitung‹ vom 25. 1. 1975.

74 ›Süddeutsche Zeitung‹ vom 14. 11. 1974.

75 Studie Kernforschungszentrum Karlsruhe, ›Energie und Umwelt in Baden-Württemberg‹, April 1974, S. 17.

76 Die gründlichste dieser Untersuchungen stammt von Philipp Herder-Dorneich, Aus Politik und Zeitgeschichte, Beilage zur Wochenzeitung ›Das Parlament‹ B 16/76. Aus einem system-analytischen Ansatz kommt Herder-Dorneich zu einigen interessanten Vorschlägen.

77 Klaus Müller, Die Aporien der Physik und die Krise der Medizin, Heidelberg 1974, S. 35f.

78 Toffler, a.a.O., S. 147.

79 Daß die Öffentlichkeit ähnlich kritische Fragen an die Medizin zu stellen beginnt, zeigen zwei namentlich nicht gezeichnete Berichte der Frau eines verstorbenen Theologen im ›Deutschen Allgemeinen Sonntagsblatt‹, Nr. 12 und 13/1975.

80 Klaus Müller, a.a.O., S. 41f.

81 Ebenda, S. 42.

82 Claus Buddeberg, Aufsatzsammlung Überlebensfragen 2, S. 97.

83 Klaus Müller, a.a.O., S. 47.

84 Ivan Illich, Medical Nemesis, London 1975, S. 22f.

85 Urie Bronfenbrenner, Wie wirksam ist die kompensatorische Erziehung? Stuttgart 1974.

86 ›Südwestpresse‹ vom 14. 2. 1975.

87 Die Universität Bochum hatte in einem Semester 16 Selbstmorde zu verzeichnen.

88 Ivan Illich, Entschulung der Gesellschaft, München 1972.

89 Hartmut von Hentig, Die Wiederherstellung der Politik, Stuttgart 1973, S. 130.

90 Ebenda, S. 131.

91 Siehe auch den ›Bericht '75 der Bildungskommission des Deutschen Bildungsrats‹, S. 25.

92 Ebenda, S. 27.

93 Studie CERI, deutsche Übersetzung, besorgt durch das Sekretariat der Ständigen Konferenz der Kultusminister, S. I.

94 Ebenda, S. II.

95 Ebenda, S. 28.

96 Ebenda, S. 49.

97 Ebenda, S. 68.

98 Siehe auch Geoffrey Barraclough, The Haves and the Have Nots, ›The New York Book Review‹ vom 13. Mai 1976.

99 Siehe Ernst Michanek, The World Development Plan, Uppsala 1971.

100 Renate Gisycki, Bericht aus der Dritten Welt, eine bundesdeutsche Misere, ›Frankfurter Hefte‹ Nr. 5/1973, S. 10ff.

101 Zum Thema neuer Lebensstil siehe den Vortrag von M. G. Adler-Karlsson auf der von der niederländischen Regierung einberufenen Konferenz über »Neue Weltwirtschaftsordnung« im Mai 1975, abgedruckt in der Schriftenreihe der Deutschen Gesellschaft für die Vereinten Nationen Nr. 21, S. 93 ff.

102 Die Erklärung von Cocoyoc, verabschiedet von Teilnehmern des UNEP/UNCTAD-Syposiums über Rohstoffnutzung, Umweltschutz und Entwicklung (8. bis 12. Oktober 1974 in Cocoyoc, Mexiko), zitiert in: Jonas/Tietzel, Die Neuordnung der Weltwirtschaft, Bonn-Bad Godesberg 1976, S. 209 f.

103 Jonas/Tietzel, a. a. O., S. 212.

104 Am konsequentesten ist dieser Weg der Entwicklung dargestellt im Dag-Hammarskjöld-Bericht 1975, Entwicklungspolitik, ›Zeitschrift des Wiener Instituts für Entwicklungsfragen‹ 2/3/1975.

105 Wolfgang Harich, Kommunismus ohne Wachstum? Babeuf und der Klub von Rom, Reinbek 1975.

106 Herbert Gruhl, Ein Planet wird geplündert, Frankfurt 1975, S. 270ff.

107 Christian von Krockow, Reform als politisches Prinzip, München 1976, S. 143 f.

108 Kurt Biedenkopf, a. a. O., S. 19.

Politik und Zeitgeschichte